KB171745

# 시간을 담은 요리

시간을 담은 요리

발 행 | 2024년 6월 30일
저 자 | 전홍희
기 획 | 인천광역시교육청중앙도서관
펴낸이 | 한건희
펴낸곳 | 주식회사 부크크
출판사등록 | 2014.07.15.(제2014-16호)
주 소 | 서울특별시 금천구 가산디지털1로 119 SK트윈타워 A동 305호
전 화 | 1670-8316
이메일 | info@bookk.co.kr

ISBN | 979-11-410-9081-4
본 책은 인천광역시교육청중앙도서관의 2024년 읽걷쓰 사업의
일환으로 제작된 도서입니다.
www.bookk.co.kr

# 시간을 담은 요리

## -추억과 그리움의 여정-

전홍희 지음

# CONTENT

## 제1부 추억의 맛

## 제2부 그리운 맛

# 글 머리에

맛에 대한 기억은 추억, 사랑받은 그리움이다.

최초의 맛에 대한 기억은
어머니가 만들어 주신
음식에서 시작합니다.
맛은 추억이고 그리움이지요.
맛을 느끼는 건 가슴입니다.
그러므로 가장 맛있는 음식은
모든 어머니의 숫자와 동일합니다.
-허영만 『식객』

세상에 맛없는 음식은 없다. 내 입맛에 맞느냐 아니냐 일뿐이다. 오랜 시간 먹고 맛을 들인 음식은 맛있다고 여길 것이며, 새롭게 맛보는 음식은 맛없게 느껴질 수도 있다. 그 음식을 만든 사람의 정성과 사랑, 그 맛을 함께 먹은 사람과의 소중한 추억이 깃들어져 있다면 세상 더 없는 맛있는 음식일 것이다.

음식에 대한 기억과 추억을 되새기다 보니 음식은 단지 허기와 배고픔을 채워 주는 물질이 아니었음을 깨닫게 되었다. 어릴 적 그 순간은 음식이 입에 맞고 맛있어서 먹은 걸로 생각이 들었다. 그런데 내게 음식을 내미는 손길에는 애정 어리게 바라보는 눈길이 함께 있었다. 이제는 그 마음을 알겠다. 그 마음이 모여서 나를 위로해 주고 위안이 되었다는 것을. 내가 얼마나 사랑받고 지대한 응원을 받았는지를 그리운 음식과 맛을 통해서 생생히 느껴진다. 나의 육체적 성장을 도왔을 뿐만 아니라 정신적 성장과 내면의 감춰진 상처를 치유해 주었다. 혼자서 스스로 잘 자란 것이 아니었다. 부모, 형제와 사촌, 친구, 선생님, 이웃들이 함께 애정을 담아주는 맛에 내가 잘 자랐음을 이제는 알겠다.

다시 돌아갈 수 없는 시간이지만 그때 먹었던 음식의 기억은 여전히 남아있다. 맛은 추억으로 그리움으로 자리 잡고 있다. 여전히 생생하게 살아 나의 곁을 맴돌고 딸, 아들에게 전해진다. 맛이 대대로 이어지는 순간이다.

이 글을 읽는 독자 누군가도 사랑과 정성 가득한 음식을 먹은 기억을 떠올릴 것이다. 그 기억나는 음식으로 따뜻한 위안과 행복했다는 추억을 되새긴다면 더할 나위 없는 바람이다.

# 제1부 추억의 맛

# 가래떡 인연

-말이 씨가 된다는 속담, 그거 딱 맞는 말 같아.

-응? 왜 무슨 얘기야?

-할머니가 맨날 나보고 커서는 방앗간집 딸하고 결혼하라 그러셨는데 말대로 되어서 말이야.

-오! 진짜 말대로 되었네. 우리 아들은 짜장면 엄청나게 좋아하니까 중국(요리)집 딸하고 결혼하라고 말해야 하나? 아니다. 짜장면을 매일 사 먹을 수 있게 돈을 잘 벌라고 해야겠네. 호호호, 하하하.

친정 방앗간에서 엄마가 해다 준 가래떡을 먹으면서 남편과 나는 과거의 어린 시절을 얘기하느라 한바탕 웃음꽃이 피었다.

나의 남편 성천은 흰 가래떡을 좋아한다. 80년대 말 신혼 초, 자가용 차가 없던 시기에 시댁을 갈 일이 있으면 서울 강남 터미널에 가서 고속버스를 이용했다. 친정에 갈 일이 있을 때면 서울역이나 영등포역에 가서 기차를 탔다. 그렇게 터미널이나 역에 가면 근처 인도에 연탄불 화덕에 가래떡을 구워 파는 장사가 있었다. 남편이 1순위로 좋아하는 떡이다. 그러면 남편은 그냥 지나치지 않고 꼭 항상 가래떡 서너 가락 사서 차에 올랐다. 당시에는 고속버스 안에서 간단한 요기를 할 수 있었던 시절이라 가래떡, 군밤, 마른 오징어구이, 물이나 캔 음료를 사서 도착지 가는 내내 먹을 수 있었다. 남편이 떡을 다 먹는 동안 성천의 아내인 나는 떡에 입 한번 대지 않았다. 남편은 엄청나게 좋아하는 떡이 내게는 떡 중에서 제일 먹지 않는 떡이다. 설레설레 고개를 저어 외면하는 떡이다. 한쪽은 좋아하고 한쪽은 싫어하는 가래떡. 그 가래떡이 만든 인연이라니!

-그런데 왜 그런 말씀을 하신 거야?

성천이 초등학교 시절, 설날을 삼사일 앞두고 가래떡을 하러 가는 엄마를 졸래졸래 따라갔다. 떡 방앗간에는 새벽부터 서두른 인근 사람이 벌써 도착했다. 물에 씻어 잘 불은 쌀이 담긴 자루나 함지박이 백여 미터는 줄지어 있다. 떡이 다 되려면 한 시간 또는 두 시간 넘게 기다려야 했다. 그러는 동안 역시나 엄마를 따라 나온 동네 친구들이 있다. 그들과 함께 떡 방앗간 근처 공터에서 제기차기, 술래잡기 놀이를 하면서 떡이 다 되기를 기다려야 했다. 배고픈 줄도 모르고 놀다가 와보면 줄이 줄어들긴 했어도 여전히 오래 기다려야 했다. 언제 떡이 되나 놀다 가보고 놀다 가보길 여러 차례 했다. 드디어 성천네 떡이 기계에서 나오기 시작했다. 엄마에게 떡 한 줄 달라고 해서 먹을 때의 그 맛! 잊을 수가 없다. 따뜻하면서 말랑말랑한 떡을 크게 한 입 베어 입안 가득 담아 쫄깃하게 씹는 맛에 더할 나위 없이 행복했다. 집에 와서 설날 아침에 떡국을 끓이려고 딱딱하게 굳히는 과정 중에 수시로 집어먹고 있다. 설날이 다 되기도 전에 없어질까 염려하는 할머니는 야단하셨다. 그리고 한마디 던지셨다. "그렇게도 떡이 좋으면 커서 떡 방앗간 딸한테 장가가라"

-호호호, 자기네 집 떡이 다 될 때 바라고 그 앞에 와서 있던 조무래기 한 명이 자기였네. 우리 동네도 그런 애들이 있었어. 방앗간 앞에 와서 놀다가 자기 집 떡이 나오면 잽싸게 와서 허겁지겁 먹던데. 이 떡이 뭐 그렇게 맛있어 저러나 그런 생각을 했는데 말이야. 여기 있었네그려.

한편 떡 방앗간 딸인 나는 어린 시절에 방앗간에서 고역을 겪고 있었다. 시골 장터거리에 방앗간이 있었다. 버스 정류장에서 한 50여 미터 거리였다. 산골에서 새벽 첫 버스를 타고 오는 손님이 우리 방앗간에 도착하는 시간은 아침 6시경. 추운 겨울 아침이었다. 손님은 내가 자는 방에 들어와서 따뜻한 아랫목에 있는 나의 이부자리 밑에 손을 넣고 몸을 녹인다. 손님이 방 안 가득 들어차고 두런두런 얘기하는 소리와 방앗간 기계가 돌아가기 시작해서 늦잠을 잘 수가 없었다. 나는 아직 어려서 방앗간 일을 돕지 못해서 늦잠 자고 싶었는데 설날 한 달 전부터는 아침에 일찍 깨야 해서 힘들었다.

그러다가 초등 5학년 될 무렵부터 방앗간 일을 도왔다. 아버지가 돌아가셔서 안 계신 우리 집은 엄마가 오빠, 언니랑 방앗간 일을 같이하면서 집안 살림을 꾸려나갔다. 설 전 가래떡을 만들 시기에는 새벽 6시부터 자성까지 떡 만드느라 바쁘게 일해야 했다. 그래서 방앗간 일손이 턱없이 부족했다. 떡을 만들려면 순서가 있다. 그 당시는 1차로 분쇄기에 쌀을 빻고 2차로 물을 부어 손으로 반죽을 한 후 큰 덩어리는 잘게 부순다. 3차로 시루에 넣어서 보일러에서 나오는 펄펄 끓는 수증기로 찐 후 4차는 가래떡 기계 앞에 설치된 넓은 판에 엎어서 쏟아붓고 기계에 넣는다. 5차는 가래떡이 나오면 찬물에 잠기게 한 후 자르고 그릇에 담는다. 6차는 시루를 닦는다. 이런 과정으로 최소 5, 6명의 일꾼이 달라붙어서 일을 해야 했다. 그러니 일손이 부족할 때는 동네 아주머니를 일당 주고 불러들이곤 했다.

겨울 방학 때라서 집에 있으니 바쁜 가족을 보면서 뭐라도 해서 돕겠다고 생각했다. 그렇게 초등학생인 나도 거들 정도로 바빴으니 일하면서 가족은 밥 먹을 겨를도 없었다. 한시도 기계를 멈출 수가 없으니, 차례로 돌아가면서 밥을 먹거나 아니면 손님이 먹어보라고 주고 가는 가래떡으로 식사를 대신하였다. 그렇지 않으면 끼니를 거르고 밤늦게서야 밥을 먹게 되었다. 가래떡을 하는 설날 무렵에는 가족이 다 같이 모여서 식사하기가 어려웠다. 겨우 설날 아침에야 가족이 함께 모여 앉을 수 있었다. 갓 나온 말랑한 가래떡을 먹는 것도 하루 이틀이지 며칠 지나면 이제 가족은 손님이 주고 가는 떡은 받아서 쌓아 놓게 되었다. 설날 아침 떡국은 제사용이지 식사용이 아니었다. 집안에 떡이 산더미처럼 쌓여있어도 누구 하나 거들떠보지도 않았다. 엄마는 그 떡을 모아서 매년 조청을 만들고 엿을 만들어 쟁여 놓고 이웃 또는 친척과 나눠 먹었다. 우리 가족은 조청도 흔해서 쳐다보지도 않게 되었다. 떡에 치여서, 떡이라면 질색하던 시절이었다.

–근데 참 신기하네. 일부러 방앗간 집 딸을 소개받은 것도 아니고 우연히 교정에서 만난 사람이 후배이고 그 후배가 방앗간 집 딸이었고 부부가 되었네. 할머니 말씀이 씨가 된 거 맞는가 보네.

남편은 같은 대학 같은 과 1년 선배이다. 학교에서 주관한 신입생 환영회를 끝내고 학과별 모임 장소에 가던 중이었다. 나는 고교 동기생과 교문을 나서기 전 게시판에 올려진 향우회 모임 공지를 보고 있었다.

"우리 고등학교는 이런 모임 공지도 없네. 선배가 있다고 들었는데"

라고 친구와 얘기하는 중이었다.

"혹시, ㅇㅇ여고 졸업생인가요?"

뒤에서 들려오는 소리에 뒤돌아보니 웬 남자 둘이 서서 물었다.

"네, 그런데요?"

"나는 그 지역 @@고교 졸업생이고요. 여기 **학과 2학년이에요. 신입생같은데 무슨 과에요?"

"우리도 **학과예요."

"신입생 환영회 장소로 가는 중이면 같이 가요!"

"네" 그렇게 남편을 처음 본 순간이었다.

시간이 흘러 어느 해 봄에 남편은 군 제대 후 3학년 2학기로 복학하고 나는 4학년 2학기로 복학했다. 대학 교정에서 다시 만난 선 후배는 연인이 되었고 부부가 되었다. 인연이 어디서부터 쌓이고 엮어졌는지 모르지만 그렇게 쳐다

보지도 않던 가래떡을 이제는 남편이 제일 좋아하는 떡인지라 떡을 파는 가게에서 가장 먼저 가래떡을 보고 우선 집어 든다. 그리고 함께 맛있는 떡국을 끓여서 먹는다. 가래떡이 만든 영원한 인연이다.

# 감자밥

감자를 보면 생각나는 학교 동창이 있다. 70년대 초반에 시골의 한 작은 초등학교에 입학했다. 학년별로 각각 두 개 학급이 있다. 1반과 2반. 1~3학년은 남·여 학생 반반씩 섞여 있고 4~6학년은 남·여 구분해서 1반은 남학생, 2반은 여학생. 그렇게 반을 편성했다. 한 반에 대략 6~70명이 있었으므로 12개 반이었으니 전체 학생 수 7~800여 명 정도였다.

그 시절은 나라 전체에서 생산되는 쌀 총생산량이 전 국민이 충분히 먹을 수 있을 만큼 자급자족이 되지 않았다. 그래서 쌀이 귀했다. 나라에서는 혼합 잡곡밥 장려라는 정책을 적극적으로 추진하고 있었다. 그중의 한 가지가 학생의 점심 도시락으로 보리, 조, 콩, 수수 등 다양한 잡곡을 50% 이상 섞인 밥을 가져와야 한다는 것이었다, 그리고 강제적으로 학생의 도시락을 선생님이 검사하고 쌀밥이 많이 보이는 학생은 혼나거나 벌칙을 수행하였다.

어느 학년이었는가. 시기가 가물가물하다. 아마도 6학년 때인가 싶다. 4교시가 끝나고 점심 먹기 전에 매번 하는 도시락 검사가 싫었다. 잡곡 도시락 검사하니까 보리밥 싸달라고 엄마에게 말하니 엄마는 쌀 위에 보리쌀 조금 얹어 밥을 해서 그 보리는 다 퍼서 도시락을 싸줬다. 보리가 적당히 섞인 도시락을 싸서 가서 열어보면 너무 허옇다. 매일 선생님께 보리가 덜 섞였다고 꾸중을 들었다. 매를 맞거나 벌칙 받아 청소하는 것은 아니었으나 매번 검사 때마다 꾸중 섞인 소리가 듣기 싫어서 엄마에게 다시 얘기해도 학교 가보면 내 도시락은 여전히 허옇게 보였다. 어찌 된 일인지 우리 집은 보리밥을 하지 않았다. 지금 생각하니 나 빼고 가족 모두가 보리밥을 싫어했다. 보리쌀 한 톨이라도 섞이면 싫어했다고 다들 말했다. 그러니 엄마 처지에서는 보리 한 줌도 많았을 일이다. 따로 보리쌀로만 하는 밥을 하지 않는 한 내 도시락밥은 여전히 쌀이 많이 보이는 것이었다, 떡 방앗간 일이 바쁜 엄마는 보리쌀 얹어 밥하는 것조차 바빴을 터이니 큰일 아닌 듯이 한 줌의 보리쌀로 충분했다고 생각했을 것이다.

내 성격상 한두 번 말하고는 더는 말하지 않고 묵묵히 지내는 편이다. 혼나기는 싫고 잡곡 도시락 문제는 해결해야겠다고 생각했다. 엄마에게 말하는 대신 다른 방법을 모색했다. 2~3교시가 끝나면 보리쌀로만 밥해서 도시락 싸 오는 학생들이 있는지라 염치 불고하고 내 밥 반 줄 테니 반

덜어 달라고 사정하는 일이었다. 그리하여 내 쌀밥을 주고 보리밥 받아 섞어놓고 도시락 검사를 받았다. 귀찮아하는 아이들을 달래면서 그렇게 위기를 모면하고 있었다.

그러다 어느 날 양자라는 급우의 도시락을 보았다. 감자가 깍두기 모양 사각형으로 밤톨 크기로 섞여 있었다. 감자를 넣어 지은 밥이라니! 이렇게도 밥을 할 수 있다는 것에 어린 나로서는 신기했다. 보리와 쌀이 조금 있고 거의 감자로 채워진 밥이었다. 부탁해서 내 밥 덜어주고 감자밥을 얻어 섞었다. 검사 후 먹는데 세상 처음 맛보는 맛있는 밥이었다. 이렇게도 해 먹는구나! 감자 농사를 많이 지어서 그런가 보다, 감자밥 해서 좋겠다고 여기며 감자밥을 먹는 양자가 부러웠다. 양자는 매일 감자밥을 싸 왔다. 다음 날부터 나는 양자 도시락을 향해 양자에게 졸랐다. "양자야, 내 밥 반이랑 바꾸자" "양자야, 네 감자밥 좀……" 점심때마다 구걸하는 심정으로 양자의 감자밥을 탐냈다. 양자는 바꿔주고 덜어주기도 하면서 싫은 내색을 하지 않았다. 귀찮게 해서 미안한 마음이 컸으나 여전히 나의 감자밥 구걸은 지속되었다. 매일 사정하기 미안해서 말 못 하고 내 밥만 먹는 날은 아쉬웠다. 마음을 달래면서 양자의 감자밥을 힐끔힐끔 쳐다볼 뿐이었다. 양자는 내가 잡곡밥 검사에 걸리지 않기 위해서 바꿔 달라고 했으려니 여길 것이다. 얼마나 내가 감자밥을 좋아했는지, 먹고 싶었는지 알 리 없을 것이다. 훗날 동창회에서 양자를 만나게 된다면 감자밥에 관해 얘기를 전해주고 싶다. 12살이던 어린 내가 너의 감자밥에 얼마나 행복했었는지. 그래서 감자 보면 감자밥과 '네가 생각난다.'라고 말하고 싶다.

## 소풍날 김밥과 알사탕

소풍은 즐겁고 가슴 설레는 행사였다. 소풍 당일보다 소풍을 기다리는 일주일 혹은 두 주일 동안이 더 설레었다. 우리 집 앞길에 오 일마다 장이 열렸다. 장날에 엄마랑 손잡고 소풍 날 입기 위해서 옷을 사러 옷 장수에게 갔다. 새 옷을 사는 일에 신이 났다. 새 옷도 새 옷이지만 봄날의 느른한 오후 방앗간이 잠시 한가한 틈을 타서 엄마랑 손잡고 가는 것이 좋았다. 엄마 발 폭을 따르느라 폴짝폴짝 뛰어가는 50m의 그 짧은 길이 풍선 타고 오르는 듯 둥실둥실 떠가는 기분이었다. 엄마 옆에 있는 것이 좋았나 보다.

소풍날에만 먹는 김밥은 별미였다. 소시지, 시금치. 당근, 단무지, 달걀, 이 다섯 가지만 속을 넣어 만들어 싸준 엄마의 김밥이 왜 그렇게 맛있었을까? 그 각별한 맛은 커서도 시중에서 파는 김밥을 별로 사 먹지 않게 만들었다. 이런저런 다양한 속을 많이 넣은 여러 가지 김밥은 구미가 당기지 않았다. 엄마가 싸준 김밥은 내게 단순하지만, 특별한 맛으로 남아있다. 그래서인지 지금까지 늘 그 다섯 가지 속만 넣은 기본 김밥만 좋아한다. 오이, 우엉. 깻잎 등 다른 야채를 넣은 김밥보다는 엄마의 김밥을 더 좋아한다. 내가 싸서 먹을 때는 엄마가 만들어 준 김밥처럼 다섯 가지 속만 넣어 만든다. 물론 소시지 대신 품질 좋은 햄으로 바꾸지만 말이다.

소풍날 모든 게 즐거운 것은 아니었다. 보물찾기 시간은 빨리 지나갔으면 할 정도로 괴로웠다. 상품명을 써 놓은 쪽지를 선생님이 바위 밑이나 나무 위에 여기저기 숨겨놓은 것을 6년간 봄, 가을 12번 소풍 갔던 동안 보물 찾기에 성공한 적이 한 번도 없다. 상품은 타지 않아도 좋으니 한 번 정도는 숨겨진 쪽지를 나도 발견해 보고 싶었다. 한 장도 찾지 못하고 속상해서 서 있는 나를발견한 동네 상급생 오빠가 여러 장 들고 뽐내며 “너 한 장 줄까?” 하면서 한 장 주고 갔다. 왜 그렇게 발견 못 했는지. 찾지도 못하는 일에 왜 그렇게 열심이었는지. 찾지 않고 가만히 있었어도 되었을 일을 울상 지으면서 열심이었다. 아마도 가만히 있으면 선생님께 혼날 거라 여겼던 모양이다. 소풍날의 보물찾기 게임은 내게 이렇게 불편한 마음 가득한 시간이었다.

소풍날 하이라이트는 사탕이었다. 소풍 갈 때 나의 가방 속 준비물은 김밥, 7*사이다 한 병, 삶은 달걀 2개, 사탕 한 봉지 그리고 어깨에 멜 수 있는 물통 이렇게 간단했다. 소풍은 6년 내내 12번을 같은 산으로 갔다. 봄은 늘 지천으로 깔린 진달래와 철쭉, 개나리만 있고 가을은 단풍 외에 특별한 것 없는 소풍 길이었다. 학교에서 걸어서 한 시간 정도 걸리는 인근 태학산으로 갔다 오는 것이었다. 가고 오고 왕복 두 시간은 지루하고 힘들었다. 언제 시작된 일이었는지 모르지만, 소풍날에 항상 사탕 한 봉지를 사 갔다. 점심은 김밥, 사이다랑 달걀 한 개나 두 개를 먹고 나면 배불렀다. 사탕은 먹지 않고 남겨두었다. 소풍 행사가 끝나고 집이 같은 방향인 친구 서넛과 함께 집에 걸어오면서 드디어 사탕을 먹기 시작했다. 다리도 아프고 힘겹게 걷는 길에 입으로 들어간 사탕 한 알 맛은 그날 아니면 느낄 수 없는 날콤함의 극치였다. 와작와작 깨물어 먹기도 하고 입안에 사탕 알을 굴리며 다 녹을 때까지 먹기도 했다. 집으로 오는 한 시간 동안 2, 30여 알사탕이 바닥났다.

나이가 든 지금도 피곤하면 “달달한 사탕이나 초콜릿을 먹어 당 보충해야 해”라고 외치는데 어린 시절 벌써 몸으로 체험하고 있었다는 것에 미소가 절로 지어진다. 이렇게 소풍을 즐기는 나만의 비법은 고등학교 소풍까지 이어졌다. 사탕 한 봉지는 소풍에서 떼려야 뗄 수 없는 소중한 피로 해소제였다.

# 단무지

-아가씨! 점심으로 머 시켜 먹을까요?

-오랜만에 짜장면 먹을까요? 언니는 짜장면 괜찮아요?

-그래요. 나도 짜장면 먹은 지 오래돼서 먹고 싶네요.

-이 동네 짜장면 맛 어때요? 면이 불으면 맛없는데, 나가서 먹을까요?

-중국 식당이 집 근처라 금방 와요. 면 불지 않게 갖다줘요. 그러면 짜장면 두 개 시킬게요.

-단무지 많이 달라고 해주세요. 나 짜장면 한 젓가락에 단무지 두세 개 먹어요. 짜장면 먹으러 가서 한 그릇 먹는 동안 단무지를 몇 번이나 더 달라고 해서 나중에는 달라고 말도 못 하고 단무지 없어서 짜장면 더 먹지도 못하고 온 적도 있어요.

-아니, 아가씨도 단무지 좋아해요? 오빠도 좋아하잖아요.

-그래요? 오빠가 단무지 좋아하는 줄 몰랐네요.

-오빠도 얼마나 좋아하는데요. 우리는 단무지를 반찬으로 사 먹어요.

-나도 그러는데? 김밥 만들 때 말고도 단무지 사다 놓고 김이랑, 계란 스크램블 해서 반찬으로 먹어요. 호호호, 나만 좋아하는 줄 알았는데 오빠도 그렇군요. 엄마 닮아서 우

리가 단무지 좋아하나 봐요.

-그러게, 어머니도 단무지 엄청나게 좋아하셨어요. 우리 집에 놀러 오셔서는 '단무지 없냐?'라고 찾으셨어요.

-그러고 보면 엄마도 단무지 좋아하니까 단무지하고만 밥을 드신 거였어요. 엄마 집에 가서 딸랑 단무지하고만 밥을 드신 거 보고 속으로 '어휴, 반찬도 없이 저거로만 밥을 드셨네' 생각하고 안쓰러웠어요. 지금 생각하니 다른 반찬보다 제일 입맛 당겨서 드시는 거였어요.

-그렇죠. 어머니가 싫으면 안 드셨을 테죠. 어디 반찬 없다고 아무거나 드시나요? 좋아하니까 드셨죠.

-하긴 나도 단무지 하나 놓고 밥을 먹고 있더라고요. 그럴 때 엄마 생각이 나더라고요. '아, 엄마도 이 맛으로 단무지랑 밥을 드신 거였구나.' 그래서 엄마 혼자 계실 때 반찬 없이 단무지랑 밥 드신 게 이제 이해가 되고 엄마가 이런 심정이었나 생각하게 되더라고요. 그렇게 좋아하니 우리 어렸을 적 매년 만들었겠죠? 엄마는 해마다 김장철보다 앞서서 단무지용 무우 한 접(100개) 샀어요. 가을이니 추수하고 벼 방아 찧는 사람이 많았죠. 밀가루만큼 고운 쌀겨를 벼 방앗간에 가서 얻어 가지고 와서 꼭 만들었어요. 색 내느라 노랑 식용 색소 넣었고요.

-와! 단무지도 집에서 만들어 먹었네요? 울 친정엄마는 간장이나 고추장에 박아 넣는 무장아찌는 만들었어도 단무

지는 안 만들었어요. 어머니는 단무지 엄청나게 좋아하셨구나.

-엄마도 장아찌는 이것저것 만들었어요. 무도 반 갈라 말려서 고추장에 박아 넣고, 마늘종도 고추장에 박아 넣었다가 꺼내 무쳐서 도시락 반찬으로 싸간 것도 기억나요. 엄마는 된장에 넣어서 하는 장아찌는 안 했어요.

-맞아요. 어머니는 된장찌개 안 좋아하시더라고요. 고추장 넣고 끓이는 고추장찌개는 잘 드셨어요.

-그래서인지 여름에 된장 쌈에 상추 먹는 것도 안 해서 매번 큰집에 가서 상추쌈 먹었어요. 우리 집은 상추쌈을 안 먹었어요. 나는 갓 따온 상추쌈도 맛있는데 우리 집은 상추가 없어서 큰집에 가서 할머니가 뒤란에 심어놓은 싱싱한 상추 많이 먹었어요. 상추에 양념 된장이랑 보리밥 싸 먹는 게 맛있었어요. 일하기에 바빠서 음식 만들기도 힘들었을 텐데……. 그래도 엄마는 좋아하는 건 꼭 만들었네요.

-짜장면 왔어요. 단무지 많이 가져다줬네요.

-히히, 단무지 먹으려고 짜장면 먹는 것 같네요. 우리 애들은 짜장면 주문할 때 단무지 빼라 하거든요.

-아가씨랑 오빠가 유별나게 좋아하는 거예요.

-그런가 보네요. 엄마를 추억하느라 그런가 싶기도 하네요. 엄마의 사랑이 그리운 건지.

## 설탕 한 숟가락 막걸리

친정엄마는 방앗간을 운영했다.

1968년 아버지가 세상 뜨기 몇 달 전에 차렸고 2024년 현재도 맏이인 큰오빠가 직장을 퇴직하고 이어받아서 하고 있다. 오빠가 물려받기 전까지는 엄마가 방앗간 일을 하면서 나를 포함해 3남 2녀 자녀를 책임지고 생계를 꾸려갔다. 남편을 여읜 그때의 엄마 나이는 마흔이었다. 내 나이 만 4살이 되기 전이었다.

동네마다 밀 농사를 많이 하던 60년대와 70년대 초반까지는 우리 방앗간에서 국수를 만들었다. 또한, 들깨, 참깨로 들기름, 참기름을 짰고, 고추 수확 시기에는 고춧가루 빻고, 된장 만드는 철이면 메주를 가루로 빻았다. 가을 추석이 다가오면 송편 만들기 위한 쌀가루 빻느라 분주했고, 특히 겨울 설날이 다가올 시기에는 가래떡을 하느라 눈코 뜰 새 없이 바빴다. 또한, 당시에는 회갑이나 혼례 잔치를 자신의 집에서 치르는 경우가 많아서 잔치에 쓰는 떡을 우리 방앗간에 주문했다. 이렇게 1년 내내 일이 있었으니, 방앗간은 늘 손님이 있고 분주했다.

내가 기억을 하는 한 엄마는 새벽부터 밤늦게까지 일했다. 잠을 자다 밝은 전깃불에 눈이 부셔 깨면 엄마는 옷장을 정리하고 해진 옷을 수선하느라 바느질하고 있다. 첫차로 6시경 손님이 오면 방앗간 일을 시작하고 자식들이 학교에 갈 시간이면 깨우고 도시락 준비해서 챙겨 주었다. 우리가 학교에 간 사이 방앗간 일을 했다. 오빠와 언니는 학교 갔다 와서 방앗간 일이나 집안일을 도왔다. 엄마는 저녁이면 방앗간에서 나온 기름에 절어 있는 보자기들을 양잿물에 담가 놓았다가 늦은 저녁 식사를 한 후 전깃불 아래 밤에 빨래했다.

오빠와 언니가 중고등학교 다니던 때에 나는 초등학생이어서 일찍 집에 왔다. 집에 와서 숙제하고 책을 읽고 있노라면 엄마는 가끔 나보고 동네 양조장에 가서 막걸리 한 되 사 오라고 심부름을 시켰다. 얼른 노란 양은 주전자를 들고 나섰다. 양조장은 동네 가장 뒤 편에 있었다. 왕복 20분 거리였다.

양조장 입구에서 들어서면 어둑하면서 서늘하다. 주전자 내밀며 “한 되 주세요” 하면 일하던 아저씨가 땅속에 묻은 내 키의 두 세배 되는 항아리 뚜껑을 열어 한 되짜리 나무

국자로 한번 퍼서 주전자에 담아준다. 얼마였지? 오래된 일이라 가격이 기억나지 않는다. 막걸리가 넘치도록 담겨 있어 무거운 주전자를 이쪽저쪽 번갈아들면서 흘리지 않으려고 애쓰면서 조심스럽게 집으로 향했다. 무겁기도 하고 팔이 아파서 얼마쯤 걷다가 조금 쉬어가려고 주저앉았다. 그러다 주전자 뚜껑을 열어 들고 조금 따라서 홀짝 마셔봤다. 우와~ 시원하다. 이때부터 막걸리 맛을 알게 되었나. 많이 마시면 양이 줄어들까 봐 뚜껑에 따른 것만 마시고 얼른 닫고 갔다. 집에 도착해서 엄마에게 막걸리 사 왔다고 하니 엄마는 주전자를 받아서 부엌으로 들고 갔다.

엄마가 술을 마시는 것을 본 적이 없던 터인지라 엄마가 막걸리로 뭘 하나 궁금해서 옆에서 보게 되었다. 부엌과 연결된 방문 앞에 걸터앉은 엄마는 막걸리를 대접에 따르더니 설탕 한 숟가락을 탔다. 그러고는 목말랐던지 단숨에 들이켰다. 또 한 대접 따라서 설탕을 타더니 "너도 마셔봐" 하시는 것이었다. 엄마 옆에 나란히 앉아 있던 나도 엄마가 건네주는 설탕 탄 막걸리를 마셨다. 오! 달달하면서 시원한 이 맛은? 설탕 탄 막걸리가 맛있는 건 그때 처음 알았다. 엄마는 어린 내게 막걸리를 마시라고 하면서 탄산음료 정도 주는 분위기였다. 엄마도 아마 술을 마시는 것이 아니라 방앗간 힘든 일을 하면서 고단한 몸을 달래줄 청량음료로 생각한 건 아니었나 싶다. 매일 마시는 것이 아니었다. 어쩌다 생각나면 사 오라고 했다. 그러고는 모녀가 나란히 앉아 한 대접씩 마셨다.

고향의 막걸리 맛에 길들여 있다가 고향 떠나 서울에 와서 살고, 때로는 다른 지방에 놀러 가서 막걸리를 마시게 되었다. 어디 가서도 어릴 때 맛있게 마셨던 막걸리 맛을 찾기가 어려웠다. 이것 또한 입맛이 다르게 길들어서 그러리라 생각한다. 지금은 사라진 그 양조장의 막걸리 맛에 그 시절에 함께 살았던 고향 동네 사람이면 이구동성 말한다. '그 양조장 막걸리 맛있었는데, 다시는 맛볼 수 없네'

요즘은 지역마다 나오는 막걸리와 유명 브랜드 막걸리가 다양하다. 그 어떤 것을 마셔도 나 어릴 적 엄마의 노곤함을 달래준 그 청량한 맛, 설탕 한 숟가락의 막걸리를 대체하지 못한다. 나란히 앉아 같이 마실 엄마가 없어서인가.

## 순두부와 모두부

어릴 때 먹었던 맛있는 기억이 어른이 되어 그리운 것이 있다. 그러나 그런 딱 맞는 식감을 찾기가 어려운 것 중의 하나가 순두부이다. 입안에서 부드러우면서도 너무 무르지 않은, 두부보다는 말랑하고 연두부보다 좀 더 씹히는 촉감을 주는 순두부를 찾기가 어렵다. 직접 만든다 해도 어릴 때 먹은 입맛과 딱 맞는 그런 순두부를 나도 만들지 못할 것이다. 오랜 세월 두부 장인이었던 큰엄마의 순두부를 먹고 자랐으니 그 솜씨를 어찌 흉내 낼 수 있으랴!

큰엄마 내외는 할머니를 모시고 사셨다. 내가 살았던 방앗간은 장터인 버스가 다니는 큰 길가에 있었고 큰집은 버스 길에서 100여 미터 떨어진 시골 안 동네에 살았다. 큰아버지는 큰엄마와 함께 농사를 지으며 할머니와 자녀 8남매를 부양했다. 농사는 가을에만 현금이 들어오니 큰엄마는 자녀들 용돈과 학교 통학하는 차비라도 벌 요량으로 두부를 만들어 파셨다. 시골 마을이라 공산품 외에 채소와 식품은 따로 사서 먹지 않는 시절이었다. 두부는 필요하면 집마다 만들어 쟁여 놓고 먹고 있었다. 그러나 두부 만드는 작업이 쉬운 일이 아니다. 모내기 철, 추석, 설, 생일날 가족 모임 등 큰일을 치를 때 아니면 하지 않게 되는 먹거리였다. 그래서 큰엄마가 만들어 팔기 시작하자 한 모, 두 모씩 필요한 사람은 언제든지 살 수 있었다. 마을 사람이 큰 집을 두부집이라 불렀다.

큰 집 자녀는 7공주와 1 왕자가 있다. 나는 막내인데 위로 언니 오빠가 나이 차이가 크게 나서 형제자매와 놀기 어려웠다. 그리고 다 방앗간 일로 바빠서 나랑 놀아줄 시간도 없었다. 큰 집의 7공주 중 막내부터 위로 3명은 나와 나이 터울이 얼마 나지 않아 나는 틈만 나면 큰집에 가서 그들과 놀았다. 초등학생 시절 방학 때는 거의 아침에 큰집으로 출석해서 저녁까지 먹고 밤에 왔다. 때로는 할머니 옆에서 자고 오기도 했다.

그렇게 큰집에 가면 두부 만드는 과정을 오다가다 늘보게 되었다. 우리 방앗간에서 콩을 갈아 가는 적도 있지만 때로는 할머니와 세 공주가 맷돌로 콩을 갈면 같이 동참해서 어처구니를 잡고 맷돌을 돌렸다. 큰 가마솥에 불을 때서 콩물을 끓이는 것을 보면 아궁이 앞 큰엄마 옆에 같이 앉아서 볏짚 넣는 것을 지켜봤다. 불 조절을 해야 하는지라 큰엄마 도우려고 했다가 방해가 되므로 구경만 했다. 어떤 때는 펄펄 끓는 콩물을 자루에 넣어 비지를 짜는 것을 볼 때도 있다. 비지를 거르고 나온 콩물에 간수를 넣고 끓이면 몽글몽글 순두부 꽃이 피기 시작한다. 어느 정도 불을 때서 되었다 싶을 때 큰 엄마는 그 몽글몽글한 두부 꽃물을 베보자기 깔린 두부 틀에 부었다. 베 보자기로 잘 감싸고 뚜껑 덮고 물 가득 채운 양동이를 올려놓아 누른다. 그러면 물이 빠지고 몇 시간 지나 두부가 되었다.

이런 일련의 과정을 오가다 보게 될 때 큰 엄마는 항상 하는 일이 있다는 것을 알았다. 순두부를 두부 틀에 넣기 직전 큰아버지와 할머니에게 한 대접의 순두부를 드리는 일이었다. 큰집에 가지 않을 때는 모르지만 내가 볼 적마다 빠뜨리지 않고 하고 있다. 그러다 내가 있으면 "너도 먹으렴" 하면서 주시는데, 10대 초반 부끄럼 많은 나는 고맙다는 인사도, 맛있다는 말도 못 하고 조용히 먹었다. 속으로 엄청 좋아하고 한 그릇 더 먹고 싶은 마음을 가누면서.

일정량 콩을 불려 두부를 만들기에 순두부를 빼면 두부 크기에 차이 나므로 가족들 모두에게 주는 것은 아니었다. 할머니도 어쩌다 드시고 큰아버지는 좋아하시는지 내가 볼 때마다 드시고 계셨다. 나는 먹을 때도 못 먹을 때도 있었다. 못 먹을 때면 어찌나 먹고 싶은지. 옆에서 이제나저제나 한 그릇 얻어먹기를 기다리건만 내 속은 모르고 큰엄마는 두부 틀에 순두부를 다 넣고 뚜껑 덮었다. 그때의 아쉬움이란 이루 말할 수 없었다. 순두부를 먹고 싶어 큰 집에 오는 건 아니었지만 순두부가 다 되었을 때 먹고 싶은 마음도 컸었다. 큰엄마의 순두부는 두부를 만들기 직전 아니면 먹기 어려운 일이었다. 어쩌다 먹는 그 순두부의 맛은 잊을 수가 없다. 언젠가부터 시판되고 있는, 공장에서 대량으로 나오는 봉지에 담긴 순두부를 처음 먹을 때 너무 차이 나는 식감으로 인해 지금까지 시판 순두부는 거의 사 먹지 않고 있다.

어느 날은 막 두부 틀을 열어 따끈한 두부를 꺼내는 순간을 보게 되었다. 그러면 큰엄마는 한 모 꺼내 썰어서 접시에 담아 역시나 큰아버지에게 양념간장과 더불어 맛보라고 주었다. 큰아버지 옆에 있으면 먹을 수 있구나를 알게 된 나는 큰아버지의 옆에서 그 말을 기다렸다. "너도 먹으렴!" 막 꺼낸 모두부의 맛을 알게 되는 순간이었다. 양념장을 찍어 먹는 모두부의 맛, 그건 큰엄마만이 만드는 식감이었다.

큰엄마의 두부 맛에만 익숙한 내가 나중 커서 다른 사람이 직접 만든 두부를 먹을 때 두부의 질감이 다른 것을 알았다. 어떤 두부는 좀 딱딱하고 어떤 두부는 너무 부드러워 입안에서 씹히는 맛이 없다는 차이랄까? 입안 가득 씹히는 맛과 부드럽고 고소한 큰엄마가 만든 그런 맛있는 두부를 이제는 맛볼 수가 없다. 사람은 가고 맛의 기억만 남았다. 그래도 그 시절 큰엄마만이 만들 수 있는 순두부와 수제 두부를 수 년 동안 먹고 자랐으니 두고두고 만족감이 가득하다. 그런 추억만으로도 행복하다.

# 요리사가 되어 볼까

*2019년 8월 한식조리기능사 실기 합격
*2019년 10월 중식조리기능사 실기 합격
*2021년 10월 일식조리기능사 실기 합격

위에 열거한 사항은 한국산업인력공단에서 시행하는 조리기능사 자격증 총 6개(한식, 양식, 중식, 일식, 복어, 떡 제조) 중 세 종류를 취득했고 복어를 제외한 남은 두 개를 언젠가는 취득하려고 하는 나의 요리사 자격증 취득 이력이다.

▶내가 잘할 수 있는 한식부터

요리사 자격증 한번 따 볼까 하는 가벼운 생각이 여기까지 왔다. 특별히 요리에 관심도 없었고 음식 해서 먹고 치우고 설거지하는 일에 시간을 들이는 것을 탐탁지 않게 여기고 있었다. 요리사 자격증 따는 일은 남의 일이라 여겼다. 그런데 어느 날부터 남편의 정년이 몇 년 남지 않았기에 앞날을 대비해야 하지 않을까 하는 생각이 들었다. 당장 필요한 것은 아니지만 따 두면 좋을 자격증을 생각하니 요리사 자격증이었다. 남편 퇴직 후 시댁이 있는 시골에 가서 포도 농사를 하는 동시에 다른 한편으로 농작물을 재배 가공하여 판매한다고 해도 요리사 자격증을 따면 좋을 것 같았다. 그리하여 집 가까이 있는 구청 평생학습관 한식조리기능사 자격증 취득 반에 수강 신청했다. 6월부터 8월까지 3개월 동안 총 12회 53개의 요리를 실습하는 과정이었다.

수강 첫날 선생님이 말한다. 필기는 본인이 공부해서 시험을 봐야 한다고 했다. 그날 즉시 필기시험 책을 샀고 시험도 즉시 신청해서 시험 보자마자 합격했다. 실기시험은 3개월 수강 끝난 다음에 봐야지 생각하고 있는데, 선생님께서 수강생들에게 시험장 분위기를 파악할 겸 실기를 시험 삼아 보라고 권하였다. 하긴 처음 가보는 시험장에서 긴장하고 떨리면 제대로 요리를 하긴 어렵겠다 싶었다. 한 번도 경험해 보지 못한 시험장이 어떠한지 한번은 분위기 파악하고 그다음 시험에서 합격해야지 하는 마음으로 실기시험을 신청했다. 시험 일자는 요리 강의가 두 달 정도 진행됐을 무렵이었고 그래서 배운 요리 개수는 3분의 2 정도였다. 실기시험에서는 53개(2019년 당시) 중에서 무작위로 2개가 나온다. 주어진 시간 안에 요구사항대로 완성해서 제출해야 한다. 배운 것이 나오면 다행이고 그렇지 않으면 당연히 떨어지겠거니 하면서 시험 일주일 전부터 배우지 않은 요리는 직접 해 보지 않을지라도 인터넷 동영상을 보면서 눈으로는 익혔다. 그래도 시늉은 내서 제출해야겠기에.

그런데 신이 있다면 내 편이었나? 시험장에서 발표된 요리 과제는 '오징어볶음과 타래과(약과)'였다. 오징어볶음은 강의시간에 배웠다. 또한, 남편이 매우 좋아하는 음식이라 결혼 35년 생활 동안 가장 자주 해 먹었다. 강의에서 배우지 않은 타래과가 나왔지만, 문제 되지 않았다. 그것은 내가 20대 초반 결혼한 언니네에서 지내던 시절, 조카에게 먹이려고 겨울만 되면 언니랑 같이 만들었던 간식이었다. 손에 익숙한 음식이었던지라 긴장감 없이 요리할 수 있었다. 조리하면서 조리대는 항상 정리 정돈하고 깔끔하게 하라는 선생님의 조언도 되새김하면서 무난하게 완성하고 제출했다. 결과는 합격이었다. 운이 좋았다고 생각했다. 아마 배우지 않은 다른 것이 나왔더라면 합격하기는 어려웠을 것이다.

▶만들어 먹는 즐거운 중식

그렇게 2019년 8월에 한식 조리사 자격증을 취득했는데, 다음 연도(2020년)부터는 규정이 바뀐다고 했다. 여태까지는 필기시험에 한 번 합격하면 다른 조리사 시험은 실기만 치르면 되었는데 2020년부터는 요리 종목마다 필기, 실기 두 개 다 시험을 봐야만 했다. 그렇다면 해가 바뀌기 전에 필기시험 없이 실기만 볼 때 하나라도 더 취득하는 것이 좋겠다는 생각이 들었다. 연말에 있는 마지막 시험 볼 때까지 평생학습센터에 강좌가 없으므로 독학하기로 했다. 양식, 일식, 중식 중에 무엇을 할까 고민하다 그나마 요리 가지 수가 적고 도구도 따로 사지 않아도 되는 것이 중식이었다. 그래서 우선 중식 실기시험을 신청부터 했다. 시험은 한 달 반 지나서였다.

중식 요리는 26개. 남은 한 달여 동안 거의 매일 두 개씩 집에서 인터넷 동영상 보며 혼자서 연습했다. 탕수육, 마파두부, 깐풍기, 고추잡채, 부추잡채 등 중국음식점에서 주문해서 먹는 요리였다. 가족들이 매일 이런 요리를 먹으니 좋아했다. 특히 입맛 까다로운 편식쟁이 딸이 맛있다고 더 해달라고 하니 요리하는 즐거움도 생겼다. 한번 시험 본 경험이 있는지라 별 떨림 없이 중식 실기도 치렀다. 요리 과제는 야채볶음과 난자완스. 내게는 26가지 요리 중 그중 쉬운 것이었다. 중식 합격 소식을 가족들에게 전하니 언니는 축하한다며 시험 운이 끝내주게 좋다고 한다. 이번에는 무엇이 나와도 자신할 만큼 열심히 연습했는데… 시험이 쉬운 거 나와서 반박할 여지가 없었다. 운도 실력이라는 말이 생각났다.

▶어렵다는 일식해볼까?

양식. 일식은 그다지 시험 볼 생각이 없었다. 굳이 해야 하나 생각하는 사이에 코로나 시국이 되었다. 그로 인해서 평생학습관의 과정이 중단되었다. 우리 집은 그사이 서울에서 인천으로 이사를 했다. 아는 이 하나 없이 새로운 곳에서 생활하자니 꼭 유배 생활을 하는 느낌이었다. 이번에는 사람 사귈 목적으로 평생학습관을 찾으니 다행히 여기서도 사는 곳 가까이에 구립 여성문화회관이 있다. 강의 목록을 보고 일식 과정을 선택했다. 딸아이가 초밥을 좋아하니 초밥을 해 줄 목적도 있었다. 수강하면서 시험에 목매지 말아야지, 요리 강습만 듣고 시험은 안 보고 편안히 들어야지 했다. 웬걸? 선생님이 수업을 들으면 시험을 보라고 어찌나 독려하시는지 시험을 꼭 봐야겠구나 하는 의욕이 활활 타오를 정도였다. 대신 일식 시험은 천천히 가기로 했다, 물론 필기는 가장 이른 시일에 치르는 것을 선택해서 합격했다. 그리고 실기시험은 수강이 다 끝난 후에 접수했다. 일식 필기시험 본 후 바로 양식 필기시험도 치렀다. 필기시험 내용이 거의 같기에 이론 내용을 다 잊어버리기 전에 필기시험에 합격해 놓자는 것이 나의 의도였다. 2년 동안 유효하니까. 혹시라도 나중 양식 자격증도 딸 생각이 들 수도 있지 않을까 하는 생각이 들었다.

일식은 한식 중식보다 요리하기가 까다롭다. 곁가지 장식도 섬세하고 정교하게 조각하듯이 해야 하기 때문이다. 그래서 매번 시간도 부족하고 완성 요리가 맘에 들게 나오는 적이 별로 없다. 시험에 필요한 20개 요리를 시험장에서 시험 보듯 시간을 재며 집에서 연습할 때 항상 5분 정도 시간을 초과했다. 서너 개 빼고는 다 어려웠다. 특히 계란말이, 도미 요리는 가장 어렵고 회 뜨는 것도 자신이 없어서 제발 6종(참치, 광어, 새우, 학꽁치, 도미, 문어) 해물을 회 떠서 만드는 생선초밥이 시험에 나오지 않기를 기도할 정도였다. 실기시험 당일, 앞서서 일식 시험을 보고 나온 낯선 수험자에게 말을 거니 이번이 4번째 시험이란다. 떨어질 것 같다고 울상이었다. 실습은 안 하고 인터넷 동영상으로 열심히 공부해서 다 할 것 같았다는 말에 속으로 깜짝 놀랐다. 아니 연습도 없이 일식 시험을 보다니? 요리가 연습 없이 절로 되는 건 아닌 거 같은데. 특히 일식은. 다른 사람 염려하고 있을 일이 아니었다. 떨어져서 시험장에 다시 와야 하는 귀찮음을 피하고자 몇 번씩 연습했어도 여전히 부족하다는 마음으로 시험을 쳤다. 이번 역시 운이 좋다는 말밖에 할 말이 없다. 그중 쉬운 전복 버터구이와 된장국이 나왔다. 합격이었다. 새로운 사람을 만나서 친분을 맺은 일은 주객전도되어 덤이 되었다. 생선 다루는 법을 배워 딸에게 일주일에 두세 번 초밥을 만들어 주는 일도 또 하나의 즐거운 덤이 되었다.

▶숨은 이력을 발산하는 떡 만들기

일식 수강하는 동안 핸드폰에 수강생과 일식 반 강사 선생님의 단체 대화방이 개설되어 여러모로 정보를 교환했다. 그러다 예쁜 떡 사진을 올린 선생님의 프로필 사진에 반하여 일식 과정이 끝나자마자 떡 반 수강 신청을 했다. 선생님은 일식, 중식, 양식, 떡 제조 4개 강의를 하고 있었다. 아니 하나 더 퓨전 떡 반까지 5개 과정이다. 예쁜 퓨전 떡을 만들어 보려고 신청했더니 떡 제조 기능사 자격증 취득 과정이었다. 알고 보니 퓨전 떡 반은 다음 분기에 있는 강의였다. 잘 알지 못하고 신청한 떡 제조 반이었지만 해 보는 것도 나쁘지 않겠다 여겨졌다. 이참에 영양 떡이라 불리는 세상 가장 좋아하는 그 떡을 밤, 대추 듬뿍 넣어서 직접 해 먹자는 마음마저 들었다. 할 줄 알지만 해 먹지 않는 음식이 있듯이 떡도 할 줄 알지만, 집에서 도구와 재료 준비를 하기 번거로워하지 않게 되는 것 중 하나다. 8가지(쇠머리 찰떡(영양 떡), 송편, 백편, 인절미, 삼색 무지개떡, 경단, 백편, 부꾸미) 떡을 시험 대비로 배웠다. 이런 떡은 시골에 살던 내가 어렸을 때 방앗간에 가지 않고도 집마다 했다. 더군다나 내가 태어나던 해부터 국수, 기름, 떡을 만드는 방앗간을 하는 친정인지라 나는 늘 떡을 접하며 살았다. 그러는 어느새 잔칫집 떡을 만드느라 분주한 엄마 옆에서 도와

주고 맛보는 내가 있었다. 떡 반 수업 시간에 선생님이 찹쌀가루와 멥쌀가루를 표기하지 않은 똑같은 봉지를 보고 구분이 안 돼서 조금 쪄봐야 한다기에 내가 가루를 맛보고 찹쌀가루를 구분했다. 두 개 같이 맛보면 미세한 차이가 있다. 혹시 몰라서 조금 쪄보니 내가 구분한 것이 맞았다. 선생님과 수강생이 연신 날가루를 비교 맛봐가며 차이를 잘 모르겠다고 고개를 갸우뚱했다. 맛을 어떻게 설명할지 모르겠지만 항상 엄마 옆에서 떡 만드는 것을 도와주다가 엄마가 이건 찹쌀, 저건 멥쌀가루라며 맛보는 것을 따라 했더니 그 다름이 무엇인지 알게 되었다. 그렇게 엄마를 도와준 경력 덕에 내게 떡 만들기는 전기 압력솥에 밥하기만큼 쉽게 여겨진다. 그러나 복병은 따로 있었다.

떡 제조 기능사 자격증은 2020년에 신설되어 시험의 역사가 짧다. 한 해 20여 회를 치르는 다른 조리사 시험과 달리 1년 4회뿐이다. 1분기에 떨어지면 2분기까지 4개월을 기다려야 하니 기다리기 싫어서라도 합격해야만 한다. 2022년 1월 첫 주가 되자마자 필기시험 신청했다. 올해 1분기 시험이었다. 필기시험준비로 공부하는데 떡의 역사와 유래, 생소한 각 지역 떡 이름 등 필기시험 내용이 너무 어려웠다. 60점이 합격선인데 시험을 보면서도 60점이 나오지 않을까 걱정되었다. 어렵고 모르는 것투성이라는 생각이 머리에서 떠나지 않을 정도였다. 다행히 합격선을 훌쩍 넘었다. 보통 필기보다는 실기를 걱정하는데 필기시험부터 힘들었다. 3월에 실기시험이 남았다. 이제까지 첫 시험에 다 합격했다. 시험 운이 좋다는 언니 말을 믿어야겠다. 그런데 이게 웬일이람! 떡 제조 1분기 시험에서 합격선인 60점에서 1점 모자란 59점으로 합격을 못했다. 2분기. 3분기 시험에서도 58점. 57점으로 합격을 못했다. 시험이 운이 아니라 실력인 것을, 실력이 모자라는구나라고 여겨야 할 것 같다. 자신만만했던 떡집딸의 이력을 숨겨야 하나보다.

▶농담이 진담으로

중식 자격증 취득 후 친구들과 대화하다 "자격증 따기를 취미로 할까 봐"라고 했던 농담이 실제로 되었다. 말이 씨가 된다고 해야 할지, 말한 건 되도록 실행하려고 하는 진지한 성격인지는 모르겠다. 하고 싶지 않았던 요리를 이토록 열성적으로 할 줄 나도 몰랐다. 해 보니 재밌다. 손으로 하는 건 무엇이든지 다 즐겁게 하는지라 아마 요리하는 그 손맛을 즐기고 있나 보다.

한식은 손맛, 중식은 불 맛, 일식은 칼 맛, 양식은 소스 맛이라고 한다. 아직 시작하지 않은 소스 맛 제조와 떡집 딸의 체면을 구긴 떡 제조 기능사 자격을 수집하고 취미를 끝맺을까 한다.

# 장독대 보리밥

한 동네 살고 있는 큰아버지 집에 놀러 가면 재미있는 일이 많다. 사촌들과 다양한 놀이도 함께 해서 좋았다.

큰집에 가면 두레박으로 물을 긷는 우물이 있다. 그리 높지 않고 깊지 않아서 두레박으로 물을 푸는 재미가 있다. 안마당에는 할머니가 만들어 놓은 화단이 있다. 맨 앞줄에는 키 작은 채송화를 심고 제일 뒤로 키 큰 접시꽃을 심고 그 사이에 키 순서대로 여러 꽃을 심어놓았다. 할머니는 우물물 길어서 걸레를 빨고 허드렛물로 나온 물을 이 화단에 부었다. 물을 함부로 낭비하지 않았다. 나는 물 긷는 재미로 물을 퍼 올리고 할머니가 빨아놓은 걸레를 한 번 더 헹구고 화단의 꽃이나 우물에 서 있는 불두화나무에 물을 뿌렸다.

우물을 끼고 집 뒤로 들어가면 넓은 채소밭이 있다. 담장 주변에는 앵두, 대추, 자두, 살구나무 등이 있다. 여름에 온갖 채소를 심어 푸성귀를 사 먹는 일이 없다. 봄동, 상추, 고추, 부추, 파, 등등 시골에서 심어 먹을 수 있는 채소란 채소는 거의 다 심었다. 철마다 다르게 나오는 열매와 채소를 먹을 수 있어서 좋았다. 할머니가 부지런해서 풀 한 포기 나오지 않게 잘 가꾸고 있었다. 채소들이 한 치의 어긋남도 없이 군인들 모양 반듯하게 줄지어 있다. 각 세우고 다린 옷처럼 채소들이 싱싱하게 자라고 있다. 풀 한 포기 보이면 할머니는 즉시 호미 들고 달려갔다.

이 채소밭 한쪽 편에는 집 안 부엌에서 뒷마당으로 통하는 문 가까이 장독대가 있다. 된장, 고추장, 간장, 무장아찌 등 밑반찬을 만들어 두는 곳이기도 하다. 장독대는 네모나게 시멘트로 단을 만들어 놓고 가장자리에 돌을 예쁘게 박아놓아 할머니 쪽 찐 머리처럼 정갈하게 보였다.

나와 고만고만한 사촌 셋 더해 모두 네 명은 이 장독대에 올려있는 소쿠리를 가끔 습격했다. 큰 엄마가 저녁에 밥 지을 때 가마솥 안에 쌀을 안치고 그 위에 살포시 올려놓아 보리밥을 지을 요량으로 소쿠리 안에는 삶아 놓은 보리쌀이 담겨 있었다. 보리쌀을 미리 삶아 놓았다가 쌀과 함께 밥을 하면 보리밥이 더 부드러우므로 늘 큰엄마는 보리쌀을 삶아 장독대에 올려놓았다. 우리는 각자 대접 하나 숟가락 하나 들고 장독대로 향했다. 삶아 놓은 보리쌀을 먹을 수 있는 만큼 대접에 담고 옆에 있는 고추장 항아리를 찾아 열었다. 고추장도 각자 한 숟가락 듬뿍 떠서 보리쌀과 비볐다. 장독대 고추장 독 옆에 서서 네 명이 참기름도 없고 반찬 없이 뚝딱 한 대접 먹고 자리를 뜬다. 가끔은 큰 엄마에게 들켜서 한 소리 듣기도 한다. “이것들아, 저녁밥 할 거 다 먹으면 어째!”

우리 집은 떡 방앗간을 해서 떡이며 쌀밥이며 먹을 것이 사방으로 널려 있건만 손도 안 대고 있다. 나는 잡곡밥을 좋아하는데 우리 집은 엄마와 오빠, 언니가 좋아하지 않는다. 그나마 서리태 콩을 넣을 때만 콩을 서로 먹으려고 다툴 정도이지 다른 잡곡을 섞으면 먹지 않으니 유일한 잡곡밥이 콩밥이다. 보리밥은 우리 집에서 구경도 못 했다. 엄마는 보리쌀을 사지도 않았다.

우리 집보다는 큰집에서 사촌들과 함께 먹는 밥이 더 맛있었다. 특히 장독대에 올려져 있는 보리쌀만 있는 보리밥은 어찌나 맛있는지 매일 먹어도 질리지 않을 듯했다. 요즘 유명한 칼국숫집에 가면 보리밥 한 공기와 무생채가 나온다. 나는 주요리인 칼국수보다는 이 보리밥을 먹는 것이 좋아서 가게 된다. 보리밥을 볼 때마다 큰 엄마네 장독대 보리밥이 생각난다.

# 컵라면과 한라산

20대니까. 20대라서 가능한 무모한 짓을 했다. 그것도 신혼여행 중에. 고생문인지 허니문인지. 가물가물한 오래전 일을 다시 한번 되새겨본다.

1989년 6월 결혼식을 올렸다. 당시 제주도로 신혼여행을 가면 택시를 전세해서 관광하는 것이 일반적이었다. 그래서 3박 4일 일정 중 이틀은 택시 관광, 하루는 한라산 정상에 있는 백록담까지 가는 계획을 세웠다. 첫날은 결혼식 후 오후 6시 제주 도착이라 등산이 어렵고 마지막 날은 서울행 비행시간 맞추느라 등산이 어려우므로 도착 이틀째는 한라산 가고 셋째 날부터 관광하기로 했다. 관광은 아무 때나 할 수 있지만, 한라산 등산은 이때 아니면 언제 또 할지 모르니 무슨 일이 있어도 한라산 정상을 가는 것이 신혼여행의 첫째 목표였다.

제주 도착하니 남편 회사의 제주 지점에 근무하는 입사 동기 직원 두 명이 기다리고 있었다. 입사 6개월 후 입사 동기생 중에선 남편이 제일 먼저 결혼하는 것이었다. 그들은 결혼식에 참석 못 해서 대신 저녁을 대접한다는 것이었다. 저녁 식사 후 반가운 마음 가득하여 자리를 파하지 못하고 자연스럽게 맥주 한잔하자고 2차 술자리를 가졌다. 남편과 직원은 신입사원 연수 과정 이후 만나지 못했던 회포를 푸느라 시간 가는 줄 모르게 얘기 나누었다. 다 같이 20대 후반 젊은 청춘들인지라 나 또한 낯가림 없이 얘기 속에 녹아들어 갔다. 다음날 일정 때문에 아쉬움을 가지고 할 수 없이 헤어진 시간이 새벽 두 시였다. 한라산 등산 아니었으면 밤새울 기세들이었다. 새벽 네 시부터 일어나서 결혼식 준비하고 식이 끝나 신혼여행 간 첫날이었다. 날 새워 새벽 두 시까지 이어진 축하 자리는 꿀맛 같은 허니문이 아니라 동아리 야유회 온 듯했다.

새벽 두 시 넘어 들어와서 씻자마자 곯아떨어진 남편과 나는 아침 8시에 한라산을 향해 길을 나섰다. '무식하면 용감하다'가 제격일 듯. 제주에는 처음인지라 한라산 등산에 대한 정보 하나 없이 호텔에 비치된 등산로 적혀 있는 종이 한 장 달랑 들고 산이 거기 있으니 가면 된다고 하는 마음만 가지고 출발했다. 6월이니 더운지라 복장은 가벼운 여름 바지와 반소매 티셔츠를 입고 운동화를 신고 작은 가방에 지갑과 손수건이 전부였다. 남편은 필름 카메라 한 대 어깨에 메고 역시나 나와 같은 복장으로 나섰다. 아침 식사는 호텔 근처에서 간단히 먹고 그 당시 네 개 등산 코스 중

호텔에서 가장 가까우며 그나마 코스가 쉽다는 어리목 코스 입구로 시내버스 타고 갔다.

어리목 입구 도착해서 그런대로 수월하게 올라갔다. 가는 도중에 12시가 넘어 점심을 먹을 곳도 없는가 보다 하며 굶고 갈 생각을 했다. 중간에 대피소 정도 되는 장소가 있었다. 점심을 준비하지 못한 우리는 잠깐 쉬어갈까 하고 들렀다. 물도 없이 올라가니 목도 말라서 물이라도 마시면서 목을 축일 생각이었다. 와우! 생각지도 못했는데 그곳에서 컵라면을 팔고 있었다. 반갑고 신나서 하나씩 사서 먹었다. 허기짐을 달래주는 꿀맛이라는 표현이 이때와 같을까? 컵라면으로라도 점심 요기를 하게 되어서 천만다행이었다. 배를 불리고 물도 마시고 몸을 추슬러서 다시 산을 오르기 시작했다. 숨 고르기 힘겹지만, 그런대로 버티며 올라갔다, 정상 100m를 남겨두기까지는 견딜 만했다. 이런! 백록담까지 가파르게 남은 100m는 발목에 축구공만 한 쇳덩어리를 매달고 오르는 것 같은 무거운 걸음걸이였다. 한 발 한 발 겨우겨우 들어 간신히 올라갔다. 마지막 열몇 계단은 두 손 두 발 땅에 대고 기어오르다시피 하면서 올랐다. 한 발 올리는 데 1분은 걸린 듯싶게 가고 있다. 얏!, 기합을 넣어 마지막 발을 들어 올려 섰다. 와! 드디어, 마침내 한라산 정상에 올라섰다. 물 고인 짙푸른 백록담을 들여다볼 수 있다니!

시원한 바람 들이키며 마음이 뿌듯했다. 그래 제주 왔으니 백록담은 보고 가야지.

내려갈 때는 버스가 다니는 큰길까지 가장 짧은 영실코스를 선택했다. 이 코스는 기암괴석과 오백 나한이 있고 숲이 울창해서 빼어난 절경이라 내려오는 내내 감탄이 절로 나왔다. 어느 정도 내려왔는지 모르겠지만 숲길 따라 걷는 어느 순간 화창했던 날씨는 안개구름으로 변했고 남편과 나는 몰려오는 안개구름에 휩싸였다. 한 걸음도 내디딜 수 없을 정도로 앞이 보이지 않았다. 약간의 공포와 불안함을 느끼고 남편을 부둥켜안고 가만히 서 있었다. 구름 뭉치가 우리를 둘러싸고 있을 때는 서로의 얼굴도 보기 힘들었다. 한 십여 분을 기다리자 구름이 서서히 지나갔다. 언제 구름이 왔냐는 듯 다시 햇살 가득한 여름날이 되었다. 제주의 변화무쌍한 날씨를 몸으로 눈으로 체험했다.

올라갈 때와 달리 이제는 후들거리며 맘대로 조절이 안 되는 두 다리를 가지고 갈지자걸음으로 내려왔다. 왜 이렇게 가도 가도 큰길은 나타나지 않는지. 지칠 대로 지쳐 중산간 도로인 1100도로에 다다라 제주 시내로 가는 시내버스를 탔다. 기사와 중년 남자 한 명 있는 버스에 남편과 나 우리 둘이 탔다. 기사가 신혼부부냐고 묻는다. 그렇다고 했더니 얼마 지나지 않아 1100고지 휴게소에서 버스를 정차하고는 우리보고 내리란다. 저기 장소가 멋있으니 실컷 사진 찍고 오라고. 기다리고 있겠다고. 오잉? 시내버스인데 그래도 되나 싶어서 당황스럽고 어리둥절하고 있으니 괜찮다며 사진 많이 찍고 오라고 재촉한다. 뜻하지 않은 호의를 받은 기쁨이 사진 속에 박혔다. 시내버스 전세해서 신혼여행 한 기분이었다.

산행을 마치고 숙소로 오니 남편 동기 직원이 기다리고 있다. 또 저녁 대접한다고. 이번에도 헤어지길 새벽 1시. 마음은 즐겁지만, 몸이 고되다. 여행인지 고행인지. 셋째 날 아침에 쿨쿨 자고 있는데 룸 전화가 울렸다. 숙소 프런트였다. 전세한 택시 기사가 기다린다고 했다. 시계를 보니 8시 30분이었다. 아침 8시에 오라고 예약해놓고 약속을 지키지 못하고 늦잠을 잤다. 앗. 몸이 움직이지 않는다. 등산과 무관하게 살아온, 아니 등산을 싫어해서 하지도 않는 두 사람이다. 평소 하지도 않던 등산을 하고 왔으니 온몸이 쑤시고 다리가 아파서 걷기가 힘들다. 제주도 남쪽 절반을 관광하는데 종일 아픈 다리로 어기적어기적 걸으며 다녔다. 사서 고생이 따로 없었다.

지금까지 매년 몇 번씩 제주도를 갔다. 한라산 주변 철

쪽 구경을 하러 올라가기도 했다. 그런데도 신혼여행 이후 한라산 정상 백록담까지 가본 적이 없다. 이때 아니면 언제 또 가보겠냐는 말 그대로 되었다. 나이로 보나 체력으로 보나 앞으로 다시 가지는 못할 것이다. 신혼여행 중에 고행 같은 등산이었을지라도 컵라면 한 개로 끼니를 때우며 올라간 무모한 도전은 영원히 잊지 못할 일이다.

# 풍세장터 짜장면

70년대 중반 5, 6학년 시절, 우리 동네는 농촌 시골이었지만 나의 경험은 다채롭고 풍요로웠다. 버스가 지나가는 한길 양옆으로 상점들이 들어서 있었다. 지서(지금의 파출소)에서부터 양복점까지 200여 미터 되는 이곳은 일명 장터였다. 여러 상점이 들어선 이 길 따라 5일과 10일 오일장이 열렸기 때문이다. 당시에 버스가 남쪽으로 1시간 30분 가면 더 이상 길이 없는 산골 오지에 자리 잡은 광덕사 절 근처 버스 종점이 있고 북쪽으로 3, 40분 가면 경부선, 호남선, 장항선을 탈 수 있는 기차역 있는 큰 시가지가 있다. 우리 동네서 기차역으로 가는 버스는 당시 하루 대 여섯 편 정도 있었다. 버스 탈 때 시간표를 적어두고 시간 맞춰 나갔다.

우리 집 방앗간에서 남쪽으로 800M 지점에 중학교가 있고, 북쪽으로 700m 지점엔 초등학교가 있다. 우리 집과 초등학교 중간쯤에 면사무소, 농협, 우체국이 있다. 면사무소 뒤편 길로 들어가면 동네 끝자락에 막걸리 양조장이 있었다. 중학교에는 인근 네 개 초등학교 졸업생이 모여들어 전체 학생 900여 명의 학생이 있었다. 초등학교는 학생 750

여 명의 규모였다. 장터 길은 중학교, 초등학생들이 걸어서, 자전거로, 버스로 통학하는 길이었다. 버스 종점이 있는 산골 오지부터 인근 몇 개 마을에 이르는 주민은 장날이 아니어도 약국을 이용할 때나 제수용품, 건어물, 철물, 신발, 고기가 필요할 때는 장터에 와서 언제든지 살 수 있었다. 중학교 입학생 모두는 장터 양복점에서 교복을 맞췄다. 중학교, 초등학교 졸업생은 장터 사진관에서 졸업사진을 찍었고 이곳 사진관은 졸업 앨범을 제작했다. 중학교 남학생 절반 넘는 300여 명 정도는 자전거로 통학했다. 그래서 자전거 판매와 수리하는 자전거포는 일 년 내내 분주한 곳이었다.

방앗간 우리 집과 마주하는 앞집은 신발, 연탄 파는 상점이다. 버스 한 대가 다니는 폭이어서 엎어지면 코 닿을 정도다. 우리 집 문만 빼끔히 열고 앞집 딸 내 친구 금주를 부르면 대답할 정도다. 매일 같이 놀았던 친구다. 앞집은 어른 스무 명이 누워도 될 만큼 마루가 넓었다. 신발을 마루에 펼쳐 놓았고 또한 마루 위 선반에 쌓아 놓았다. 그 마루에서 손님 오는지 보면서 우리는 숙제하고 카세트 라디오를 틀어놓고 노래를 들었다. 그러다 손님이 신발 고르다 뒤죽박죽 해 놓은 신발을 친구가 정리하면 나도 옆에서 같이 거들었다. 흰 고무신, 검정 고무신과 학생용 운동화와 실내화를 크기별로 선반에 차곡차곡 쌓았다. 우리에겐 그것도 놀이였다. 농한기 때인 겨울에는 친구 부모는 연탄 배달 일이 바빴다. 주문받은 연탄을 손수레에 실어 집마다 가져다주는 일이었다. 역시나 같이 놀다 배달하려고 준비하는 것을 보면 시키지 않아도 친구 부모를 도와 연탄집게로 한 장씩 집어 수레에 싣는 일도 하고 뒤에서 수레 모서리를 한편씩 잡고 밀어주는 일도 했다. 둘이 시시덕거리며 밀고 가는지라 힘든지도 모르고 즐겁게 돌아다녔다. 배달 마친 후 빈 수레를 끄는 것은 우리 둘 몫이었다. 연탄 묻은 수레에 서로 번갈아 태워주기도 했다. 집으로 오는 길은 즐거운 나들이 한 기분이었다.

우리 집 오른쪽 한 집 건너 정육점이 있었다. 그 집 딸은 나보다 한 살 아래다. 그래서 같이 어울려 잘 놀았다. 정육점과 붙어있는 그 집에 놀러 가면 안마당에서 돼지 잡는 장면을 볼 때가 자주 있었다. 온 동네 다 들리도록 발버둥 치면서 '꽤 애액 꽥꽥' 거리는 돼지 멱따는 것부터 모든 살과 뼈와 내장을 해체하여 부위별로 나오는 일련의 과정을 다 보는 일이 자주 있었다. 정육점 딸과 같이 노는 일이 아니었다면 경험하기 어려운 광경이었다. 정육점이 가까워 엄마와 오빠가 방앗간 일로 지쳤을 때 고기를 자주 사 먹을 수 있는 것도 장터 사는 사람이라 가능한 일이었다.

장터거리의 맛집 하면 뭐니 뭐니 해도 짜장면을 파는 중국집이었다. 자전거포 맞은편에 내가 태어나기도 전부터 화교 부부가 자리 잡고 운영한 중화요리점이 있었다. 장날이면 한 시간 걸려 버스 타고 장 보러 오는 산골 오지 사람이 많았다. 국밥을 파는 곳도 있지만, 짜장면이 단연 인기가 많고 늘 북적였다. 식당 들어가는 입구 오른쪽에 크게 열린 창문 바로 앞 나무 판대에서 주인장이 수타면을 뽑고 있었다. 짜장면을 먹지 않아도 지나가는 사람에게 큰 구경거리였다. 밀가루 반죽 뭉치를 가지고 어느덧 가느다란 면 줄기로 만들어 내는 장면은 마술 같았다. 남들은 장날에나 만날 수 있는 수타면 뽑는 장면을 매일 보고 언제든지 사 먹고 싶을 때 사 먹을 수 있는 중국요릿집이 있고 짜장면을 먹을 수 있었던 것은 내게 큰 행운이었다. 내 인생 다시 맛보기 어려운, 최고의 맛있는 수타 짜장면을 먹은 곳이었다. 짜장 특유의 맛 외국 음식이라고는 맛보지 못한 내게 새로운 맛이어서 그렇게 여겼을지도 모른다. 부부가 연로해서 그의 아들이 물려받아서 만들어 판 짜장면은 그 맛이 나지 않았다. 그 아들은 중화요리 일도 곧 그만두어서 짜장면 식당도 없어졌다. 그 아들이 우리 언니와 동창이라 언니는 아쉬움을 말한다. "그 친구가 부모에게 짜장면 만드는 것 잘 배워서 물려받아서 했으면 좋았을걸. 그 집 짜장면 맛은 어디서도 먹을 수 없는 맛인데". 어린 시절 시골 동네에 있는, 화교가 운영하는 중국요리점 덕분에 짜자장면은 특별한 때 먹는 음식이 아니라 아무 때나 먹고 싶을 때 먹을 수 있는 요리였다. 그 중화요리점이 사라진 후 그곳의 짜장면 맛을 기억 한 자락에 간직할 뿐이다.

## 할머니의 도시락 반찬

최근 저녁에 반찬을 준비하는데 남편이 퇴근해서 들어온다. 주방을 지나면서 안방으로 들어가기 전 가스레인지 앞에 있는 나를 힐끗 보더니 묻는다.

-오늘 반찬은 뭐야?

-안 알려 줄 테야. 밥 먹을 때 보라고.

-아하, 할머니 반찬

-앗! 알아챘네? 냄새만으로도 알 수 있나 봐? 흐흐흐.

남편은 반가운 미소를 머금고 들어가서 재빨리 씻고는 그 어느 때보다도 환한 얼굴로 식탁에 앉는다. 다른 반찬 만들어야 하니 조금만 기다리라 하니 이 반찬 하나면 된다며 어서 먹자고 한다. 나도 좋아하는지라 얼른 앉아서 첫 젓가락을 이 반찬에 대면서 남편에게 말한다.

-우리 둘 다 좋아하는데 어쩌다 해서 미안하네. 그동안 귀찮아서 하지 않았는데 앞으로는 자주 해 먹어야겠어. 히히.

남편은 다른 반찬에 손대지 않고 이 반찬 하나로 밥 한 공기 다 먹는 것으로 대답한다. 잘 먹고 있으니 자주 해달라고.

우리의 저녁 식사 한 끼는 반찬 하나로도 마음 따뜻하고 풍성하다.

이렇게 우리가 일명 할머니 반찬으로 부르는 것은 감자전 무침이다.

30여 년 전, 결혼 초 어느 날 남편이 상에 올라온 감자조림을 보더니 감자를 다르게 요리할 수 있겠냐고 한다. 어떻게 하는 건지 알려 주면 하겠다고 하니 요리법을 설명한다. 감자를 껍질 벗기고 동그랗게 저며서 프라이팬에 기름 두르고 부친 후 꺼내서 파, 마늘, 간장, 고춧가루, 참기름. 참깨로 무친다고 한다. 들어보니 친정에서는 한 번도 해 먹지 않은 반찬이지만 감자 대신 애호박을 그렇게 해 먹고 있기에 어렵지 않게 할 수 있겠다 싶었다. 며칠 뒤 남편이 말한대로 만들어서 맛보는 순간 별다른 양념을 한 것도 아닌 늘 먹는 단순한 양념을 한, 이 감자요리가 눈 동그랗게 뜨고 '맛있어!'라고 외치는 맛이라니! 이제야 이런 맛을 알게 되다니 억울했다. 친구와 통화하다 그 맛을 얘기 나누니 더 억울했다. 친구네는 어렸을 적 마당에 놓여있는 가마솥에 불 때서 기름 두르고 저민 감자 한 바구니 가득 부어 한 번에 부쳐서 양념해서 먹었다고. 맛있었다고. 여태 나만 모르고 있었다.

내가 처음 감자전 무침을 했던 그날 저녁 식사시간에 남편은 할머니가 해 준 감자 반찬과 얽힌 고교 시절 이야기를 해주었다.

1980년 고교 3학년인 남편은 고등학교 앞에서 방 한 칸 얻어 자취했다. 할머니는 애지중지하는 손자가 밥해 먹는 것이 안쓰러워서 밥해 준다고 함께 살았다. 새벽 6시에 학교 가는 손자를 위해 할머니는 새벽 서너 시에 일어나 밥을 해서 도시락을 2개 쌌다. 그 당시 난방은 연탄보일러이고 조리용 가스레인지가 없던 시절이어서 밥은 연탄불에 냄비 올려서 하고 국이나 찌개, 반찬을 만들기 위한 화력은 석유 곤로를 이용했다. 변변치 않은 상황에서 정성껏 만들어 준 반찬을 가지고 등교를 했다. 점심시간만 되면 대여섯 명의 주변 급우들이 남편의 책상으로 우르르 몰려들었다. 남편은 가져간 원형의 길쭉한 유리병에 한 장 한 장 차곡차곡 싸인 감자전 무침을 젓가락으로 푹 찔러 반을 덜어내고 남은 것을 반찬통째로 던져 주면 급우들은 서로 먹으려고 아우성쳤다고 한다. 덕분에 남편은 소시지 부침, 동그랑땡 전, 계란말이, 제육볶음 등을 받아서 먹게 되었다고 한다. 점심시간마다 할머니 반찬으로 뿌듯하게 맛있는 점심시간을 했던 남편은 추억을 되새기며 행복한 표정이었다.

이렇게 남편이 좋아하는 음식이련만, 나는 만드는 데 시간이 걸리는 음식은 잘 해 먹지 않는 편이다. 조림, 구이, 찌개 등은 재료를 준비하고 냄비나 프라이팬에 재워 가스불에 올려두면 그걸로 완성되므로 자주 해 먹지만 특히 나물이나 부친 후 양념을 해야 하는 것은 여러 번 손이 가서 하지 않는다. 나물을 좋아하지만 재료를 다듬고 씻고 데친 후 짜서 양념해야 하는 번거로움에 제삿날 아니고서는 해 먹지 않는다. 또 두부를 부쳐서 양념 후 조리는 것도 좋아하지만 가끔 한번 한다.

이래서 감자 전도 작은 프라이팬에서는 여러 번 부쳐야 하고 부친 후 양념을 해야 하므로 거의 안 하고 어쩌다 한다 할지라도 지름 30센티 큰 프라이팬에 두 번 정도 부칠 양만 한다. 감자조림하거나 채쳐서 소금만 넣고 볶는 요리를 주로 한다. 이러한 내가 할머니 반찬을 한다는 것은 큰 맘 먹고 한다는 것을 남편은 안다. 신혼 초 한번 언급한 이후 해달라는 소리를 결혼 30년 동안 한 번도 하지 않는 남편인지라 반찬 무엇 할까 궁리하다 감자전 무침 생각나서 만들어 식탁에 올리면 말 없는 미소를 먼저 보여준다.

가스레인지 앞에서 할머니 반찬을 하면서 그 옛날의 할머니 모습을 상상해 본다. 20센티 높이 유리병 가득 차곡차곡 쌓으려면 감자 4-5개 정도 하지 않았을까 싶다. 감자는 애호박이나 소시지 부치는 것보다 시간이 오래 걸린다. 그 당시 에어컨이 없는 더운 여름날, 새벽마다 냄비에 밥 안치고 곤로 옆에 쪼그려 앉아서 도시락 반찬을 만들기 위해 작은 프라이팬에 긴 시간 감자를 부친 할머니를 생각하니 내 마음에 잔잔한 감동이 밀려온다. 그 당시 할머니가 겪었을 노고와 할머니의 지극한 사랑이 보인다고 말하니 남편은 고개를 끄덕이며 헤아려보는 눈치다. 내가 해주는 감자 반찬이 할머니의 맛, 정성, 사랑에는 턱없이 부족하지만, 할머니의 사랑을 돌아보고 그 사랑을 맛보는 남편의 애정 어린 눈길이 내게 전해져온다. 할머니 반찬으로 하는 한 끼 저녁 식사가 사랑이다.

# 피자와 첫 미팅

어느 토요일 오후, 대학 신입생이 된 딸과 저녁으로 피자 한 판을 배달시켜서 먹고 있다.

-엄마가 언제 처음 피자를 먹었는지 들으면 놀랄걸?

-언제 처음 먹었는데?

-엄마가 대학 1학년 봄 첫 미팅 자리에서 피자를 처음 먹어보았어. 지금도 그때 생각하면 혼자 이불킥 할 얘기야. 호호

-왜에? 무슨 일이 있었는데?

-40년 전 일이니 아주 오래된 이야기네. 와우! 벌써 40년이란 세월이 흘렀어.

1983년이었다. 서울에서 대학을 다녀야 했기에 3월초 입학 전인 2월에 천안에서 올라왔다. 결혼해서 서울 사는 언니네 거주하면서 대학을 다니기로 했다. 천안 시내에서 버스 타고 30여 분 들어가는 시골 동네의 초등학교와 중학교를 다니고 천안에서 고등학교를 다녔다. 집과 동네와 학교라는 테두리에서만 살던 내가 서울에 와서 살게 되었으니 모든 것이 낯설고 신천지 세계였다. 처음 접하는 문화가 많

았다. 지금도 여전히 서울 종각역에 자리한 종로 서적과 광화문에 있는 교보문고 같은 대형서점에 처음 가보았다. 창경궁도 당시에는 '창경원'이라 불렸는데 벚꽃 피는 시기에 창경궁이라는 궁궐을 생애 최초로 구경했다. 처음 가보는 곳, 처음 해 보는 것 투성이었다. 그중에서 피자라는 음식도 이름만 들어보았지 먹어 본 적은 없었다. 최근 인터넷에서 검색해서 찾아보니 피자헛은 1985년 이태원 1호점으로 시작되었고, 맥도날드 햄버거는 1988년 압구정 1호점이 시작이었다. 1983년 피자는 나에게 생소한 음식이었다.

음식 솜씨가 좋은 언니는 피자에 대해 듣고 관심을 가지고 있었다. 그 당시 언니는 4살, 3살 두 딸을 양육하고 있었다. 언니는 두 딸의 간식을 직접 만들어서 주었다. 슈퍼마켓에서 사서 먹일 때도 있지만 가공식품을 많이 먹어서 좋을 일이 없다고 생각하여 집에서 자주 만들어 주는 편이었다. 겨울이면 3kg 밀가루 반죽을 직접 하여 타래과 과자를 만들어 놓고 먹게 하였다. 여름이면 직접 엿기름을 걸러서 식혜도 만들어 놓고 시원하게 해서 먹게 해주었다. 그러한 언니였기에 대학 신입생이 되기만을 기다리는 나에게 어느 날 피자를 만들어 보자고 했다. 티브이나 신문만이 정보를 주는 시절이었다. 지금처럼 검색하여 요리법을 알 수 있는 때가 아니었다. 언니는 밀가루 반죽하여 그 위에 여러 야채

토핑을 올려놓고 익히다 치즈를 올려놓으면 피자 아니겠냐면서. 피자 도우를 만들 줄 몰랐기에 그렇게 부침개보다 되직하게 반죽을 하여 팬에 놓고 초록과 빨강 피망, 양파, 햄, 브로콜리 등 채소를 올려놓고 모차렐라 치즈를 듬뿍 얹어 놓고 굽듯이 만들었다. 두 조카와 언니와 나, 넷이 둘러앉아 모양과 맛을 흉내 낸 피자를 먹었다. 부채꼴 모양으로 잘라서 한 조각 집어 들었더니 치즈가 지이익 늘어났다. 실처럼 이어져서 떨어지지 않는 치즈를 겨우겨우 손으로 끊어 내면서 먹었다. 치즈와 야채와 어우러져 같이 먹는 맛은 우리 한국식 부침개와 다른 색다른 풍미를 주었다.

얼마 후, 대학에 입학하여 처음 만나는 같은 과 동기와 서먹서먹한 가운데 수업을 들으면서 그중 한 친구 H와 친하게 되었다. H와 매일 점심을 함께 먹고 당시 학교 앞에 우후죽순 있던 음악다방(DJ가 있어 엘피판으로 음악을 들려주고 고객이 신청한 음악도 들려주는 카페)을 골라서 다니며 커피를 마시기도 했다. 라면은 한 그릇에 350원 정도 하는데 분위기 좋은 카페에서 커피 한 잔은 500원 정도였다. 비록 학교 앞 분식집에서 라면으로 점심을 먹거나 학교 구내식당에서 더 저렴하게 식사를 할지라도 음악다방에서 커피 한 잔의 여유와 사치는 물리칠 수 없는 즐거움이었다. 두 달여 동안 이런저런 대학 생활에 관해 얘기 나누며 생각을 많이 나누었다.

5월이 되자 학교 축제가 열렸다. 3-4일 동안 열리는 행사 중에서 꼭 참여해 보고 싶은 행사가 있었다. 여학생 축제였다. 남녀 공학이었는데 여학생에게만 입장 티켓을 팔았고 남자 파트너와 동행이 조건이었다. 티켓을 미리 사놓고 같이 갈 파트너를 물색 중이었다. 선배나 동기 중에서 같이 가자고 제의했지만 다 거절해놓고 어디 더 멋있는 괜찮은 남학생이 없나 찾았다. 중·고교 때 선생님께 많이 들었던 대학에서의 낭만을 즐길 수 있는 미팅과 축제였다. 대학에 가면 미팅도 많이 해 보고 축제도 참여하리라고 꿈에 부풀어 있었다. 그래서 우리 학교 학생보다는 타 대학 학생과 미팅하고 그 학생과 함께 축제에 참여해 보자는 생각을 했다.

그런 생각을 읽은 H는 나에게 축제에 같이 갈 파트너가 없으면 타 대학에 다니는 자기 초등 남자 동창을 소개하겠다고 했다. 마음이 급했던지라 즉시 좋다고 승낙하고 신촌에서 만날 장소와 시간을 받았다.

드디어 첫 미팅이었다. 만날 장소를 찾아가니 서양식을 파는 레스토랑이었다. 남학생과 첫인사를 어떻게 했는지 기억이 가물거린다. H가 서로를 소개한 뒤 둘이 이야기 나누라고 하고 자리를 떠나지 않았나 생각이 든다. 어쨌든 H가 떠난 후 그 남학생은 먹을 것을 주문하자고 하면서 피자를 먹는 것이 어떠냐고 물었다. 점심때여서 생각 없이 좋다고 하고 이야기를 나누었다. 잠시 후 나온 피자는 각각의 1인 플레이트에 작은 피자 한 판이 담긴 접시와 포크 나이프가 세팅되어서 나왔다. 스테이크 먹듯이 각자 먹을 수 있도록 나온 것이었다.

'아 저 피자를 어떻게 포크 나이프로 먹지?' 나이프로 잘라지지 않을 치즈를 생각하니 당황하지 않을 수 없었다. 레스토랑에서 처음 먹는 피자인지라 '먹을 때 실수하면 어떻게 하지'라는 걱정이 앞섰다, 레스토랑에서 처음 먹어보는 피자인 것을 아닌 척하고 우아하고 익숙한 것처럼 먹을 생각을 하니 그 순간부터 나의 머릿속은 복잡해지고 상대방과 이야기에 집중할 수가 없었다. 조심스레 나이프로 잘라서 먹으려고 하니 역시나 길게 늘어나는 치즈가 문제였다. 조심조심 들어 올려서 늘어진 치즈를 나이프로 겨우겨우 자르고, 많이 먹어본 사람처럼 치즈는 역시 이렇다는 듯이 아무렇지도 않은 척 입에 넣었다. 속으로 진땀 흘리고 있었다. 처음이 아닌 척, 여유 있게 먹는 척, 많이 먹어본 척하느라 얼마나 애를 썼는지 40여 년 동안 잊히지 않는 난처하고

민망함이 가득한 부끄러움이다. 이어지는 커피 한 잔과 이야기로 두어 시간 보내고 미팅은 끝이 났다.

서울에서 태어나서 문명과 문화의 혜택을 받고 자란 그 남학생과 그 문화와 문명을 갈구하고 꼭 서울로 대학을 진학하리라 생각하며 학창 시절을 시골에서 보낸 나와는 많은 차이가 있음이 느껴졌다. 이야기 나누면서 지식의 차이는 없어도 문명의 혜택을 누린 경험의 차이가 다른 것을 알 수 있었다. 나의 지식이 어느 정도인지 가늠하려는 그 남학생의 태도에 불쾌함을 느껴 애프터 신청을 거절하였다. 아마도 생활환경이 달라서 오는 가치관의 차이가 피부로 느끼는 불편함을 낳았고 그 감정은 그 남학생을 더 만나고 싶지 않게 만들었다. 비록 축제에 파트너가 없어서 못 간다 할지라도 불편한 상대와는 만남을 가지지 않는 것이 좋다고 생각을 했다.

경험을 통해서 깨닫게 되는 것인가. 첫 미팅 후 미팅을 잘 하지 않게 되었다. 씁쓸한 감정만 남게 되는 일을 다시 하고 싶지 않았다. 낯선 사람 그리고 가치관이 다른 사람과 얘기 나누는 것이 얼마나 어렵고 불편한지 알게 되었다. 얼마 후 드러날 일을 아닌 척을 해보았자 위선이고 자기 기만인 것도 경험했다. 솔직하고 자기 자신을 속이지 않아야 하겠다고 생각하게 되었다.

첫 미팅의 실패 후 여학생 축제가 시작되는 저녁 6시가 다가오고 있었다. 교정을 쓸쓸하게 어슬렁거리다 티켓 산 것이 아까워서 군 전역 후 복학한 과 선배보고 가자고 했다. 특별한 이유 없이 입장 시간 전에 만난 사람이어서, 그냥 두 시간 축제를 함께 보내는 일로만 여길 사람이었기에.

피자를 볼 때마다 첫 미팅이 생각난다. 경험은 쓰디썼지만 피자는 맛있었고 여전히 맛있다.

# 나만의 특별한 포도나무

시댁의 포도 과수원에는 나만의 포도나무가 있다. 품종은 캠벨이다. 시아버지가 특별히 나를 위해서 심은 나무이다.

30여 년 전 시아버지는 거봉 농사를 시작하였다. 남편의 직장으로 서울에 사는 우리는 농사일을 거들어 드리지는 못하고 집안에 모임 있는 특별한 행사가 있을 때만 간간이 시댁을 가는 정도였다. 그러다 포도 수확 철이 되었을 무렵 내려갔다. 시아버님이 거봉을 먹어보라고 나무에서 갓 따서 가져왔다. 그 당시 내 입맛은 단것을 좋아하지 않았다. 딸기 사과 같은 새콤한 맛이 더 있는 과일을 좋아했다. 그래서 엄청 달달한 포도인 거봉은 두세 알 먹고는 달아서 손대지 않았다. 아버님에게 거봉보다는 새콤한 맛이 있는 캠벨을 더 좋아한다고 말씀드렸다. "달달한 거봉이 더 맛있지, 캠벨이 머가 맛있냐"라고 하면서 며느리가 먹지 않는 서운함을 비췄다. 아버님 입맛에는 거봉이 더 맛있을 터였다. "저는요 엄청 신 살구, 자두, 앵두, 새콤한 딸기, 사과, 캠벨포도가 맛있고 배, 수박 등 달달한 과일은 입에 대지 않게 되네요" 그러고 나는 별생각 없이 지냈는데 한두 해 지나고 다시 수확 철이 다가오자 "너 좋아하는 캠벨 심어서 열렸다"라고 포도를 따다 주셨다. 나는 좋아라 하면서 캠벨 포도를 아버님 기대 이상으로 많이 먹었다. 아버님은 열심히 잘 먹는 것만으로도 흐뭇해하였다. 손자인 우리 아들도 거봉은 손도 안 대고 캠벨 포도는 잘 먹으니 더 만족해하였다.

다섯 그루 정도 있는데 한 그루에 열리는 송이가 많으므로 나뿐만 아니라 시누이나 시고모 등 다른 친지가 와서도 먹고 따갈 정도로 양이 많았다. 거봉은 주로 판매가 되었고 캠벨은 가족이 먹고 구매를 원하는 지인에게만 팔았다. 새도 날아와서 한몫 쪼아먹고 날아갈 정도로 관리를 별로 안 하고 자연적으로 열리게 두는 그런 나무였다.

하루는 큰 시누이에게 연락이 왔다.

"언니 빨리 내려와서 캠벨 포도 먹어요."

"왜요?"

"아버지가 큰 올케언니 와서 먼저 먹기 전에는 그 누구도 따먹으면 안 된대요."

"아니, 포도가 많은데 먼저 따먹어요. 내가 언제 내려갈 줄 알고 기다리나요."

"그러게요. 하여튼 먼저 따먹지 못하게 하니까 언니가 와서 먼저 먹어야 저도 먹을 수 있어요. 포도가 완전히 익어서 맛있어요."

그래서 가족들은 캠벨 포도가 익었어도 따지 않고 나의 것이라고 나를 기다리고 있었다. 며느리 생각해 주는 아버님의 정성과 사랑에 감사하고 아버지 말을 거스르지 않고 기다려 주는 시누이의 따듯한 배려가 아름답다.

아버님은 85세까지 포도밭에서 일하다 몇 년 전에 세상을 떠났다. 나이 들어 기운 달려 힘드니 포도일 그만하는 것이 어떠냐고 자녀들이 말했다. "아무 일도 안 하고 뒷방 노인처럼 살기 싫다, 죽을 때 죽더라고 포도밭에서 일하다 죽으련다."라고 했다. 그러고는 돌아가시는 날까지 밭에서 일하시고는 갑자기 쓰러져 운명했다. 아버님이 없는 포도밭에 아버님이 심은 나의 포도나무는 여전히 열매 맺고 있다. 늘 아버님의 사랑과 정성을 생각하라는 듯.

# 딸에게 해주는 깐풍기

깐풍기는 우리 딸의 최애 요리이다. 그것도 집에서 내가 만들어 주는 것을 좋아한다.

딸에게 맛있는 요리를 해주고 싶었다. 그리고 나중 남편이 퇴직한 이후 취업이나 창업을 하기 위해서 조리기능사 자격증을 땄다. 그중 중식조리기능사 시험을 보기 위해서 조리 연습을 했다. 시험이 한 달 정도 후에 있어서 독학하기로 정했다. 유튜브를 검색했다. 요리 시험과 동일한 시간 안에 음식을 완성하는 것을 보여주고 간단한 설명을 곁들인 영상이 있었다. 하루 두 개씩 한 달을 연습했다. 그렇게 연습하면서 만든 음식은 가족의 저녁 식사로 대체하게 되어 일석이조의 득이 되었다. 연습용이라 가족에게 맛보는 실험 대상이 되어야 한다 강변했다. 다행히 남편과 딸은 시험 대비용 요리일지라도 맛있다며 매일 중식 먹기를 좋아했다.

실기시험은 20품목이었다.

<오징어 냉채, 해파리냉채, 탕수육, 깐풍기, 탕수생선살, 난자완스, 홍소두부, 마파두부, 새우케첩 볶음, 양장피 잡채, 고추 잡채, 채소볶음, 라조기, 부추 잡채, 경장육사, 유니짜장면, 울면, 새우 볶음밥, 바쓰 옥수수, 바쓰 고구마>가 있

다.

매일 2개씩 연습하니 위 품목을 돌아가며 세 번은 했다. 짜장면도 집에서 만드니 담백하고 느끼하지 않아서 좋았다. 중국요리를 배달로 시켜 먹으면 값도 비싸고 양도 적고 조미료를 많이 넣으니 우리 가족 입맛에 맞지 않아서 애용하는 편은 아니었다. 어쩌다 먹고 싶다고 생각나거나 손님이 올 경우 가끔 주문 배달해서 먹었다. 그렇게 한 달 동안 해주니 남편도 회사 동료에게 자랑 아닌 듯 자랑하며 얘기하고 매일 먹어도 괜찮다고 했다. 시험 합격 후 딸에게 이제 매일 해 줄 수는 없고 한두 가지 정도 자주 해주겠다고 하니 깐풍기를 해달라고 요청했다.

시험 볼 때는 닭의 뼈를 제거하고 살코기로 만드는 것이 시험 과제이나 집에서 요리할 때는 시제품으로 닭 다리 살만 파는 것을 이용했다. 코스트*에 가면 대용량 닭 다리 살이 품질 좋고 가격이 저렴해서 깐풍기 하기에 제격이다. 안심살로만 깐풍기를 하다가 닭 다리 살로 했더니 더 맛있다고 딸이 말한다. 사람들이 중국요리는 튀기는 것이 많아서 복잡하게 여긴다. 그런데 막상 자주 하다 보니 한식, 일식에 비해 중식을 만들기가 수월하다는 것을 알게 되었다. 재료만 있으면 튀기고 소스만 만들면 간단하다. 주로 튀기고 볶는 요리라서 재료의 맛을 살리고 맛있어서 중식 요리를 어렵지 않게 할 수 있다.

처음 시도하는 것이 꺼려지게 되지만 자주 해 보다 보면 어느 순간 뚝딱하게 된다. 이틀이나 사흘에 한 번 딸에게 해주게 되니 깐풍기가 전기밥솥에 밥하는 것만큼 별것 아닌 요리가 되었다. 자주 먹어서 질리지 않는지 물어보니 매일 먹어도 좋다고 한다.

시댁에 내려가서의 일이다. 할머니 댁에서 가족이 모여서 식사하는데 딸애의 입맛에 맞는 음식이 없으니 딸이 하루 종일 굶고 있었다. 보다 못해 안쓰러워서 딸에게 "근처에 중국 식당이 있으니 거기에 깐풍기 먹으러 갈까? 엄마도 음식점에서 파는 깐풍기 맛은 어떤지 궁금하니 한번 식당 깐풍기 먹으러 가보자"라고 권했다. 딸은 바로 좋다고 따라나섰다. 식당에 도착해서 깐풍기 중짜리 하나에 짜장면 한 그릇을 주문했다. 깐풍기는 시간이 걸린다고 좀 기다려야 했다. 속으로 나도 '남이 해주는 음식' 좀 먹어보자고 기대에 부풀어 있었다. 이윽고 나온 큰 접시에 푸짐하게 담긴 깐풍기. 먹음직스럽게 보였다. 갑옷 입은 모습처럼 튀겨져 있어서 풍성했다. 전분 가루로 만든 소스는 생각과는 달리 탕수육 소스처럼 걸쭉한 형태에 고추기름 일정량 넣고 홍고추, 피망이 어우러져 있었다. 내가 만든 것이랑 모습은 달랐다. 이곳은 이렇게 만드나 보다라고 하며 서로 얼른 맛을 보기 시작했다. 독특한 향이 났는데 그 향의 이름은 잘 모르겠다. 사용해 본 적이 없는 중국요리 특유의 향이 배어났다. 한 입 베었더니 튀김옷만 가득하고 닭고기 살은 작았다. 소스에 묻힌 튀김옷은 보기보다 바삭한 맛이 덜했다. 평소에 이렇다 저렇다 도통 말이 없는 딸도 몇 개 먹더니

"엄마 깐풍기가 더 맛있어"

"그래? 엄마표 깐풍기만 먹어보니 다른 사람이 만든 맛을 알 수 없어서 그럴 거야. 엄마도 내가 만든 깐풍기가 더 입맛에 맞네. 이렇게 만든 깐풍기는 처음 본다. 우리 입맛에 익숙하지 않아서 그런 거 같아. 다른 사람들은 맛있다고 할 거야. 집에 가서 엄마가 만들어 줄게. 짜장면 먹고 가자"

기대 부풀었던 깐풍기 외식은 헛배 부르고 헛돈 썼다는 생각이 가득한 외출이었다. 시골에서 올라와서 바로 재료 사서 깐풍기를 해 주었더니,

"난 엄마가 만든 이 맛이 좋아"

"딸 고마워, 엄마가 만든 것이 맛있다고 하니 기분이 좋다. 자주 해줄게. 많이 먹어"

그러고 보니 최근에는 무슨 일로 바빴는지 깐풍기를 한지가 오래되었다. 딸과 즐겁고 맛있게 먹은 나의 깐풍기를 오늘 저녁에 한 번 만들어 봐야겠다.

**시험 과제의 깐풍기 요리법**
재료가 별로 들지 않고 요리법도 간단하다.

▶재료: 닭고기 살 500g, 홍고추 1개, 푸른 피망 1개, 마늘 3쪽, 생강 1, 대파 1개 흰 부분, 설탕, 식초, 간장, 전분, 식용유

▶조리법

1. 전분가루 3스푼을 물에 불린다.

2 간장과 소금을 닭고기랑 버무려 간이 배게 둔다.

3. 마늘, 생강, 대파 흰 쪽을 잘게 다져서 놓는다.

4. 홍고추와 피망도 콩알 크기로 잘게 썰어놓는다.

5. 물에 불린 전분의 물을 따라내고 걸쭉해진 전분 두 숟가락 정도 덜어 닭살에 입히도록 버무려 입힌 후 튀겨놓는다.

6. 바싹하게 한 번 더 튀긴다.

7. 그런 후 빈 팬에 식용유 한 숟가락에 생강 마늘 파를 넣어 볶는다. 그런 후 설탕, 간장. 식초 1:1:1 숟가락의 비

율로 넣고 물 3스푼 넣어 바글바글 끓인다. 튀겨놓은 닭을 넣고 몇 번 저어 주고 홍고추, 피망을 넣어 소스와 닭, 채소가 어우러지게 뒤적인다. 불을 끄고 남은 열로 몇 번 더 뒤섞은 후 접시에 담는다.

# 파파야 피클

파파야 피클을 들어본 적이 있나요? 아니 물렁물렁한 파파야로 피클을 한다고? 그렇게 생각하면 오산이다. 파파야는 열대 과일이다. 아열대성 기온이 되어가는 한국에서 요즘 파파야를 재배하는 농가가 생겼지만 90년대 중반에는 한국에서 보기 드문 과일이었다. 한국에서는 흔하지 않았던 파파야를 피클까지 해먹을 정도로 발에 챌 만큼 곳곳에서 살 수 있는 지역이 괌이었다.

1995년부터 1999년까지 만 4년 동안 남편의 직장 일로 괌에 가서 살다가 왔다. 당시 괌은 사이판과 더불어 한국에서 신혼여행지로 각광을 받기 시작한 곳이다. 한국에서 오는 신혼여행객이 많으니 현지에는 한국인이 운영하는 소규모 여행사와 관광 가이드가 많았고 더불어 한국 식당도 많이 있었다. 현지에 거주하는 한국인이 생각보다 많이 거주하고 있었다.

남편은 먼저 건너가서 현지에 거주하는 한국인의 도움을 받아 아파트 한 채를 빌렸다. 나는 서울에 살던 집에서 전세금을 받고 괌으로 가져가야 할 짐과 시댁으로 옮겨놓고 가야 할 짐을 구분하고 이사하느라 6개월 뒤에 들어갔다. 5살인 아들과 함께 괌공항에 도착하자 새벽 1시경임에도 불구하고 따듯하다 못해 후끈한 열기가 느껴지는 습한 공기가 훅하고 숨 막히게 가슴에 불어 들어왔다. 처음 마시는 적도 근접한 섬나라의 열대성 기후에 한국에서 입고 간 반소매 블라우스와 스커트가 한 벌 정장 옷차림이 무겁게 느껴졌다. 습한 여운으로 몸은 벌써 끈적끈적 해지고 옷이 몸에 달라붙는 느낌이었다. 가볍고 헐렁한 반소매 면 티셔츠와 반바지 차림이 부러웠다. 남편이 구해 놓은 집을 향해서 공항에서 20여 분 밤공기를 가르며 달려갔다. 맨 위층인 5층이었다. 역시나 집안은 에어컨 켜기 전이라 후끈했다. 에어컨을 켜도 한동안은 시원한 줄 모를 정도이다. 더워하면서 바깥 기온과 별 차이 없을 듯하여 문 열고 바깥으로 바람 쐬러 나오니 숨 막히게 덥다. 에어컨 켜도 시원한 줄 모르겠더니 바깥공기와는 확연히 차이가 났다. 한 번도 경험하지 못한 더위 속에 비행하고 온 피로감으로 잠을 청했다. 괌에서 첫 밤은 그렇게 맞이했다.

낯선 환경은 시간이 약이었다. 하루하루 생소한 것을 보고 겪고 익숙해지고 있었다. 더웠던 바람도 적응이 되어서 해 질 무렵 저녁은 그나마 약간은 더위가 누그러지는 것도 피부로 느꼈다. 아침, 점심, 저녁의 햇빛의 온도 차이는 사는 사람만이 느낄 수 있다. 관광객에게는 다 같은 온도로 느껴지겠지만 현지 사람은 다르게 느끼는 그런 차이가 있었다. 낯선 곳에서 사람이 그리우니 아파트 단지 안에 있는 놀이터에 아들을 데리고 놀러 나갔다. 다양한 국적의 사람들이 놀러 나오고 있었다. 현지 괌 주민, 일본인, 중국인, 중동에서 왔는지 히잡을 쓴 여인들, 필리핀 사람 등 다양한 곳에서 온 사람들이 제각기 아이들을 데리고 놀이터 주변에 나왔다.

아들과 한국어로 대화를 나누고 있으니 50대 초반으로 보이는 어느 한국 아주머니가 한국에서 왔냐며 반갑고 기쁜 표정으로 말을 걸었다. 언제 여기 이사 왔는지, 어디 몇 동에 사는지, 이것저것 물어보면서 친근감 있게 얘기 나누기 시작했다. 통성명이 오가고 친하게 되었을무렵부터 그분을 '청자씨'로 부르기 시작했다. 청자씨는 나를 우리 아들 이름을 빌려 '원기야'로 불렀다, 청자씨는 50대 중반, 나는 30대 초반이었다. 청자씨는 나와 같은 동 3층에 살았다. 며칠 지나 청자씨는 우리 집을 찾아 빵을 들고 오셨다. 베이커리 공장에 일하러 다니는데 빵을 가져왔으니 나눠 주려고 가져온 것이다. 며칠에 한 번은 그렇게 빵을 주고 갔다. 그러는 사이 이 동 저 동 사는 한국인들을 더 많이 알게 되었다. 매일 저녁 무렵 놀이터에 모여 얘기 나누는 것이 일상이 되었다.

이렇게 친하게 되니 저절로 음식이 있으면 나눠 먹고 맛난 것이 있으면 들고 나와서 삼삼오오 모여서 먹게 되는 일이 많아졌다. 더운 나라에서 살다 보니 집안에서 전기스토브로 음식을 하기보다는 바깥에서 굽는 바비큐를 많이 해 먹게 되었다. 1층에 사는 사람은 뒤뜰 정원에서 바비큐를 하고 그 외 위층 사는 사람들은 발코니 부분에 그릴을 놓고 바비큐를 해 먹는다. 무엇이든 다 바비큐 재료가 될 수 있다. 소고기, 닭고기, 돼지고기, 터키, 양고기와 각종 해산물, 각종 채소를 숯불에 구워 소스에 찍어 먹기만 하니 손쉽게 식사가 된다. 때로는 바닷가로 재료 들고 가서 바비큐를 해 먹고 들어오기도 한다.

1층 살고 있는 미미 맘, 외국인이 부르기 좋은 이름을 가진 순이 씨도 있고, 그 당시 알게 되어 지금까지 연락하고 지내는 윤자 씨도 있다. 미미 맘이 주말 토요일 저녁에 본인 집 앞에 모여서 바비큐를 해 먹자고 말하니 너도나도 좋다고 했다. 소고기가 주식인 지역인지라 갈빗살이 엄청나게 쌌다. 엘에이 갈빗살을 맛있게 양념 재울 테니 바비큐 해 먹게 다들 오라고 했다. 누군가는 탄산음료를 들고 오고, 누군가는 디저트용 케이크를 가지고 오고, 누군가는 식후 먹을 과일을 들고 모였다. 청자 씨가 네모난 락앤락 통을 들고 왔다.

"원기야, 이거 먹어봐라. 바비큐에는 이거랑 같이 곁들어 먹어야 제맛이지"

"뭐예요?"

"파파야 피클이지"

"엥! 파파야로 피클을 해요? 물렁거리잖아요?"

"아니, 이건 익은 파파야가 아니라 익지 않은 영young 파파야로 한 거야."

"아하, 딱딱하고 초록일 때 말하는 거죠?"

"자, 바비큐 한 점이랑 같이 먹어봐라."

노릇노릇하게 잘 구워진 갈빗살을 오물거리며 피클 한 조각을 곁들여 먹었다.

"와! 아삭하면서 새콤하고 약간 매콤한 맛도 있어 칼칼해요. 고기가 느끼하지 않아요. 맛있어요, 조그만 빨간 조각은 뭐예요?"

"응 이건 칠리고추, 이거 한두 개 썰어 넣어야 칼칼한 맛이 나지."

어떻게 만드는지 알려 달라고 했다. 영 파파야, 설탕, 식초, 물, 칠리고추만 있으면 되는 거였다. 마트에서는 영 파파야를 사기 어렵지만, 괌 지역을 돌아다니다 보면 길거리에서 수레에 바나나랑 망고, 익지 않은 영 파파야, 잘 익은 파파야 등 열대 과일을 파는 원주민을 가끔 볼 수가 있다. 원주민이 물건을 팔 수 있는 열린 공간 야시장에서도 살 수 있다. 영 파파야 세 개를 샀다. 길게 반으로 갈라 속에 든 씨를 빼고 얇게 저몄다. 물, 식초, 설탕을 넣고 칠리고추를 썰어 넣었다. 이렇게 섞어서 하루 지나서 먹으면 되었다. 기대를 하고 열어 맛보았더니 으으……. 그 맛이 아니었다.

아파트 앞에서 만난 청자씨에게

"청자씨, 나는 그 맛있는 맛이 안 나요. 역시 손맛이 다르네요."

"원기야, 이리 와봐라." 집으로 데리고 가더니 냉장고서 파파야 피클이 가득 담긴 통을 꺼내서 통째로 나에게 건네주었다.

"나는 또 만들면 된다. 이거 가져다 먹어라."

"아구, 괜찮아요. 힘들게 만들었는데요. 감사합니다. 잘 먹을게요."

감사한 마음을 어찌 표현할 줄 몰라서 미안한 마음도 함께 가득 채워서 파파야 통을 들고 왔다. 피자를 먹을 때, 볶음밥을 먹을 때, 바비큐를 먹을 때, 샌드위치를 먹을 때 등등 틈만 나면 먹게 되었다. 청자씨는 바비큐 모임 할 적마다 늘 파파야 피클을 가져왔다. 청자씨 파파야 피클을 대신할 그 무엇이 없으므로.

남편은 4년간의 근무를 마치고 한국에 되돌아와야 했기에 나 또한 남편 따라 괌 생활을 마치고 한국에 돌아왔다. 그리고 청자씨는 아들, 딸을 따라서 미국 본토 LA로 이사했다. 그 후로 청자씨는 한국에 가족을 방문하러 오고 나는 아들 방학 때 LA로 놀러 가서 서로 만났다. 만날 때마다 바비큐와 파파야 피클을 먹고 정을 나누었던 그 시절을 추억했다. 다시는 되돌아갈 수 없는 그 시절을 그리워하면서 세월이 흘렀다. 시차가 맞지 않아 자주 전화하기 어렵지만 모처럼 청자씨에게 전화로 안부 전해야겠다.

## 잡채

괌에 살 적에 영어로 대화가 능숙하지 않아서 현지 공립학교 교사인 미국인 스테파니에게 일주일에 한 번 영어 회화 강습을 받았다. 스테파니는 우리 아파트에 살고 있었고 주말 토요일이나 일요일 한 시간 과외를 해서 추가로 수입을 올리고 있었다. 스테파니 남편도 역시 공립학교 교사였다 7살 4살 두 딸과 함께 살고 있었다. 나 혼자 하면 재미없을 것 같아 스테파니를 소개한 한국인 이웃과 같이했다. 그래야 다른 사람의 경험을 이야기 나누고 다양한 주제를 말할 수 있을 것으로 생각했다. 이런저런 주제로 이야기 나누다 보니 음식에 관한 이야기를 하게 되었다. 그리고 때로는 우리 집에서 수업 할 때 내가 만든 음식을 맛보라고 권하기도 했다.

나는 그때 자주 해 먹는 음식이 있었다. 수제비와 김치볶음밥, 김치전, 갈비찜, 잡채를 시도 때도 없이 만들었다. 더운 나라에 사는지라 찌개류는 잘 하지 않게 되었으므로 고기와 채소를 이용해서 아들과 남편이 잘 먹을 수 있는 음식을 생각하다 보니 저런 음식을 주로 하게 되었다. 아들은 김치전을 수시로 해달라고 하였다. 갈비찜이나 잡채는 외국인들도 무난하게 좋아할 것 같아서 갈비찜은 스테파니가 집에 가져갈 수 있도록 그릇에 담아 주기도 했다. 잡채는 맛보라고 접시에 담아 주면 맛있다고 집에 가져가서 아이들 준다고 했다.

그래서 내가 스테파니 집에 가서 잡채 만드는 법을 알려주겠다고 약속 날짜를 잡았다. 스테파니가 준비할 것은 소고기, 양파, 당근, 브로콜리, 피망이라고 얘기해 주고 나는 당면과 간장, 참기름. 참깨를 사서 갔다. 스테파니 가족 모두가 흥분해서 기다리고 있었다. 스테파니 남편은 잡채가 맛있다며 요리법을 알려 주려고 와줘서 너무 기쁘고 감사하다고 했다. 당면과 간장, 참기름. 참깨를 보여주고 잡채를 만들려면 이런 제품이 필요하니 나중에 필요할 때 사라고 했다. 특히 제일 필요한 간장은 한국의 샘표 간장이나 일본 상표 기꼬만 간장을 살 것을 알려줬다. 이 간장이 맛을 내는 것이라고.

한국인이라면 너무나 잘 알고 있는 간단한 조리법이지 않은가.

당면 먼저 삶아 놓고 준비한 채소를 채 썰어 볶아 놓는다. 그 후 당면과 채소를 한 그릇에 담고 간장 넣고 참기름 설탕 조금, 참깨 넣고 버무리면 잡채인 것을.

너무도 쉽게 간단하게 만드는 법을 알려주니 스테파니 부부는 감탄하면서 흥미롭게 요리법을 익혔다.

그 후 몇 달이 지나 스테파니는 우리가 사는 아파트를 떠나 괌의 남쪽의 깊숙한 숲속 외딴 집으로 이사를 했다. 아이들에게 야생의 흙을 밟고 자라게 해주고 싶다는 이유였다. 이사한 집으로 나를 초대했다. 내비게이션도 없고 주소 하나만 가지고 이정표도 없는 숲길을 찾아가려니 길을 잃는 건 아닌가 하는 생각이 들었다. 주변에 집 하나 없어 물어볼 사람도 없는 그런 정글 같은 숲이었다. 겨우겨우 찾아가니 집 한 채에 마당 있고 주변은 온통 열대 야자수와 나무로 우거진 곳이었다. 이런 곳에도 사람이 살다니 할 정도였다. 이사한 것이니 한국 스타일로 휴지를 한 보따리 사 갔다. 한국 문화와 정서를 알려주기 위함이었다.

마당에 차를 주차하고 집에 들어가니 식사 준비를 하기 위한 재료가 가득 식탁 위에 쌓여있었다. 그중에서 잡채 재료도 있었다. 내가 잡채 만들기를 알려준 이후 거의 매일 해 먹었다고 한다. 특히 아이들이 좋아한다고 하면서. 잡채에 들어가는 채소는 아이들이 무엇이든 잘 먹어서 가르쳐준 당근, 양파, 피망, 이외에 각종 채소를 달리해서 만들어 먹었다고 했다. 그들은 나를 위해서 바비큐, 괌 원주민의 전통 밥, 야채샐러드와 함께 잡채를 만들어 주었다. 그들이 만든 잡채를 먹어보았더니 내가 만든 것과 별반 다르지 않았다. 잘 만든 잡채에 갈채를 보내고 맛있는 식사를 하고 왔다.

그 방문 이후 그 부부를 만난 적이 없다. 27여 년의 세월이 흐른 지금 그들은 어디서 무엇을 하고 있나 생각한다. 아마 여전히 잡채를 해 먹고 있으리라 여겨진다. 어느 한때 알고 지낸 한국인이 알려준 레시피라고 기억하고 추억하면서 만들어 먹지 않을까.

## 콩사랑

"엄마! 오늘은 왜 도시락 반찬으로 콩자반 안 넣었어. 내일은 콩자반 꼭 넣어줘"

"알았어. 오늘은 해서 내일 싸주마, 질리지도 않나, 매일 먹어도?"

"응, 괜찮아, 맛있어. 콩자반 없어서 밥 먹기 싫었어"

중학교 다닐 적 학교에서 돌아오자마자 엄마에게 도시락 반찬 투정을 하였다. 엄마는 알았다고 내일 싸준다고 하였다. 콩자반 반찬이 없어서 밥 먹는 것 같지도 않게 먹어서 불만이 가득한 심정이 들었다. 도시락 가져갈 때 콩자반 아니라도 김치나 계란말이, 멸치볶음 등 다른 반찬이 있었다. 그래도 콩자반이 없으면 밥맛이 돌지 않았다. 그런 나의 콩자반 사랑은 6년간이나 지속하였다. 아니 어쩌면 고등학교 시절까지 합치면 9년이다.

초등학교 4학년 때부터 도시락을 가져가기 시작한 것으로 기억한다. 반찬으로 기본인 김치와 그 외 한두 가지 더 가져갔다. 엄마는 방앗간 일로 바쁘니 아침에 반찬 할 시간이 없었다. 그래서 보통 미리 반찬을 해 놓았다가 쟁여놓고 아침에는 도시락통에 담아 주었다. 흔히 많이 하는 반찬이 무장아찌, 깻잎장아찌, 멸치볶음 등 2~3일 해 놓아도 괜찮은 것들이다. 그중에서 내가 가장 좋아하는 반찬은 콩자반이었다. 언제부터인지 콩자반이 매일 도시락통에 들어있다. 나는 별말 없이 엄마가 싸주는 대로 먹었다. 엄마는 내가 별말 없으니 하기 쉬웠던지 매일 넣어 주었다. 싫은 내색 안 하고 가져가니 엄마는 수월하게 준비했을 것이다. 실은 학교 가서 맛있게 먹고 있었기에 특별히 할 말이 없었다. 엄마는 내가 아무 말 없으니 계속 넣어 준 것인지 좋아하는 것을 알고 넣어 준 건지는 가늠하긴 어렵다. 아마 맛있다고 매일 싸달라고 했을 것이다. 초등학교 내내 가져갔던 반찬인데 중학교에 올라가서도 콩자반 사랑은 여전했다. 다른 반찬이 있어도 꼭 콩자반이 있어야 했고 다른 반찬 없이 콩자반만 싸주어도 좋다고 들고 갔다.

언제부터인지 콩이 들어간 음식을 좋아했다. 서리태 콩을 넣고 밥을 지으면 콩만 걷어 먹을 정도였다. 둘째 오빠도 콩을 좋아했는지라 콩밥 해서 밥을 풀 때 서로 자신의 밥에 콩을 더 많이 넣어 달라고 입씨름하고 있었다. 콩을 넣어 만든 백설기, 여름이면 콩을 불려 삶아서 갈아 만든 콩국수, 콩으로 만든 강정 등 콩 음식을 좋아했을 뿐만 아니라 팥 시루떡, 동부인절미를 좋아했고 두부도 좋아했다. 심지어 메주를 하려고 삶아 놓은 콩도 맛있다고 대접에 따로 담아 놓고 먹을 정도였다. 그렇게 좋아하는 콩도 잘 안 먹는 콩이 있었으니 그건 강낭콩이었다. 밥에 넣어 먹는 강낭콩은 먹는 식감이 퍽퍽하고 목이 메서 그런지 별로 달갑지 않았다. 그런 강낭콩도 나중에는 떡에 넣어 잘 먹었다.

나의 콩 사랑은 언제부터일까? 먹어도 먹어도 질리지 않으면서 오히려 더 많이 찾아 늘 먹고 있다.

이런 나와 달리 우리 아이들은 콩밥을 먹지 않아서 콩밥을 해 먹을 수가 없다. 잡곡을 하나도 넣지 않은 흰쌀밥을 좋아한다. 그래서 아이들이 밥을 잘 먹게 하기 위해서 주로 쌀밥을 한다. 가끔 콩밥이 먹고 싶으면 압력솥에 콩 반 쌀 반 넣고 밥을 지어서 냉동실에 한 공기씩 만큼 보관해 둔다. 먹고 싶을 때 바로 꺼내서 전자레인지에 넣고 해동해서 먹을 수 있다.

서리태 검은콩을 볼 때마다 반찬으로 싸 갔던 콩자반이 생각이 나는데 오랜만에 콩자반을 해 놓을까? 콩을 넣어 밥도 해 보자. 나의 콩사랑은 여전하다.

# 엄마의 김치

세상의 모든 자녀는 자신의 엄마가 만든 음식이 가장 맛있는 요리가 아닐까 생각한다. 맛있는 음식이란 그 음식에 얼마나 익숙하냐 아니냐에 달려 있다. 맛있다, 맛없다가 아니라 내 입맛에 얼마나 맞느냐 아니냐로 맛을 가늠하는 것이라 본다. 어려서부터 먹는 가장 기본적인 음식인 김치 맛을 봐도 한 동네서 살아도 다 제각각이었다.

앞집 금주네는 김장할 때 황석어젓을 넣고 만들어서 내가 가서 밥을 먹을 때 김치에서 비린내가 많이 나서 먹기 어려웠다. 금주는 아무렇지도 않게 맛있게 먹고 있다. 옆집 정애네는 김장할 때 오징어나 동태 등 해물을 항아리 밑바닥에 깔고 김장을 켜켜이 쌓아 저장하고 김장이 익으면 해산물도 함께 꺼내 찌개를 끓여 먹었다. 이것도 나는 입맛에 맞지 않아서 놀러 가서 함께 저녁을 먹을 경우에 입에도 대지 않았다. 윗집 숙자네는 멸치젓으로 김장을 했다. 멸치가 큼직큼직하게 들어있는 삭힌 젓갈로 김장을 했으나 그것 역시 내 입맛에 비려서 먹기 어려웠다. 방학이면 여기저기 친구네 집에 놀러 가서 늦게까지 놀다가 식사시간이 되면 숟가락 하나 더 얹어 함께 먹는 시절에 살았다. 이 집 저 집 김치를 맛보았던 순간이 생각난다. 우리 집과 다른 음식 맛이 나에게 입맛 당기지 않았지만 친구는 맛있게 먹고 있었다.

마찬가지로 나 역시 우리 집에서의 매끼 식사는 엄마의 김치가 별미였다. 겨울이면 김장김치와 총각무김치만으로도 밥 한 그릇 먹고 봄부터 가을까지 계절별로 나오는 재료로 담근 김치는 다른 반찬이 없어도 순식간에 뚝딱 밥을 먹을 수 있는 음식이다. 봄동 겉절이, 열무김치, 깍두기, 배추 겉절이. 그리고 겨울의 김장까지 엄마의 김치는 깔끔하고 시원하다. 늘 젓갈은 새우젓만 사용하고 그 외 젓갈은 사용하지 않는다. 새우젓과 고춧가루, 파, 마늘, 설탕 그리고 가끔 넣는 조미료가 전부이다. 조미료도 사용할 때는 넣는 둥 마는 둥 아주 조금 한 꼬집 정도 넣는다. 그래서인지 엄마의 김치는 인공적인 맛보다는 재료 천연의 맛이 잘 느껴진다.

그렇게 엄마의 김치 맛을 알고 김치 담그는 것을 보고 자라서인지 나도 김치를 만들 때 엄마 방식으로 담게 된다. 요즘 들어서 멸치젓과 까나리액젓도 간간이 사용하기는 하지만 부재료는 엄마와 같은 새우젓과 파, 마늘, 고춧가루, 소금이 전부이다. 조미료는 일절 사용하지 않는다. 더욱이 최근에는 조미료 들어간 음식을 먹고 자고 일어나면 몸이 부어서 되도록 조미료를 덜 들어간 음식을 먹는다.

외식하거나 시중에서 시판되는 밀키트 음식을 사 먹을때면 조미료가 들어있지 않은 것을 찾기 어려워서 되도록 집에서 만들어 먹으려고 한다. 조미료가 몸에 좋다 혹은 나쁘다고 말할 수 없으니 각자의 입맛대로 찾아서 먹으면 되는 것이라 여긴다. 우리 자녀 역시 조미료 들어간 음식을 좋아해서 '엄마 음식은 맛이 없다'라고 하더니 언젠가부터 조미료 들어간 음식으로 몸이 불편함을 느꼈는지 엄마의 맛이 좋다고 하기 시작했다. 조미료가 들어가던 다른 식자재를 사용하던 엄마의 솜씨대로 아이들은 만들어 먹을 것이다. 우리 엄마의 김치 맛대로 내가 김치를 만들 듯이 우리 자녀 역시 오랜 시간 길들여진 나의 맛으로 요리를 하지 않을까 생각한다. 그래서 손맛은 이어지는가 보다. 대를 이어 내려온다는 맛의 비법은 오랜 시간인가보다.

# 제2부 그리운 맛

## 다슬기(고동) 한 대야

금주와 홍희는 장터 길을 사이에 두고 서로 마주하는 집에 산다. 금주네는 신발가게를 운영한다. 그리고 겨울이면 연탄을 판다. 신발 파는 공간 한옆에는 공산품 먹거리를 팔고 있다. 과자와 아이스크림. 음료수 등. 미니 마트인 셈이다. 길 건너 홍희네는 장터 방앗간이다. 국수도 만들고 들기름 참기름 짜고 고춧가루 쌀가루 찧고, 겨울이면 가래떡을 만든다.

금주와 홍희는 같은 해 두 달여 간격으로 태어났다. 홍희는 음력 5월생, 금주는 음력 7월생이다. 태어나는 순간부터 서로 앞집에 살았으므로 기어다닐 때, 걸어 다닐 때 같이 놀았다. 초등학교 다니는 그 순간부터는 매일 아침, 같이 학교에 가고 온종일 함께 학교에서 같이 지내고 올 때도 같이 집에 왔다. 집에 와서 기계 소리로 시끄러운 방앗간보다는 넓은 마루가 있는 금주네서 놀았다. 숙제도 함께하고 금주가 청소하면 같이 청소도 하였다. 금주가 밥을 먹으면 같이 밥도 먹다가 잠이 들기도 했다. 자다 깨서 그제야 홍희는 일이 끝나 조용해진 방앗간으로 간다. 엄마와 오빠가 일 끝난 방앗간 마무리 청소를 하고 있다. 홍희 엄마는 홍희가 학교에서 돌아온 것은 알지만 지금까지 어디서 무얼 하다가 왔는지 관심 둘 겨를이 없다. 저녁이 되었으니 집에 왔으려니 한다. 홍희는 금주네서 놀다가 잠들었다가 깨서 왔다고 한마디 하고 방으로 가서 다시 잘 준비를 할 뿐이다. 엄마가 방앗간 청소로 바쁜지라 이야기 나눌 시간이 없다고 생각한다.

날이 더워지기 시작하면 금주와 홍희는 학교에서 돌아오자마자 누가 먼저라고 할 것도 없이 대야나 소쿠리 하나 들고 냇가로 나간다. 금주네서 길 건너 홍희네 십 남을 시나 뒤로 가면 논이 나온다. 그 논길 건너면 넓은 개천이 흐른다. 일명 '풍서천'이라 불리는데 버스로 한 시간 남쪽으로 가는 광덕사 산골에서 흐르기 시작하여 홍희네 동네를 지나 천안 거쳐서 아산만으로 흘러 서해로 빠진다. 풍서천은 넓기도 하다. 버스가 냇가 바닥 물속을 지나다니다가 홍수로 버스가 끊기는 일이 생기자 풍서천을 건너는 다리가 생겼다. 다리 밑은 여름에 마을 사람들의 시원한 피서 처가 되었다. 수박을 사다 물속에 잠겨놓고 돗자리 깔고 앉아 있다 수박을 깨서 먹었다. 냉장고가 없던 시절 시원하게 먹는 방법이었다.

엄마야 누나야 강변 살자
뜰에는 반짝이는 금모래 빛

뒷문 밖에는 갈잎의 노래
엄마야 누나야 강변 살자
<김소월>

시인이 노래한 것처럼 냇가는 1년 내내 홍희와 금주에게 놀이터가 된다. 봄이면 냇가 둑에 돋아나는 쑥을 한 소쿠리 가득 뜯는다. 다른 애들이 냉이 캘 때 냉이를 모르는 금주와 홍희는 오로지 쑥만 뜯고 있다. 집에 가져가면 쓰지도 않을 쑥을 지칠 줄 모르고 뜯는다. 지루해지면 물 가까이 가서 이제는 손바닥만 한 돌을 가지고 소꿉놀이를 한다. 역시 풀을 돌로 찧어 반찬이라고 돌 위에 올려놓고 모래는 밥이라 넓적한 돌에 담는다. 그리고 마주 앉아서 냠냠하며 맛있게 먹는 시늉을 한다.

그렇게 놀다가 무더운 날이면 옷 입은 채로 물속에 들어가서 첨벙첨벙 헤엄치거나 물속 생물을 잡기 시작한다. 동네 청년들은 어항을 놓고 물고기를 잡는다고 모여들 있지만, 금주와 홍희는 얕은 물웅덩이에 들어와서 빠져나가지 못하는 물고기를 손으로 잡으려다 미끄러워 놓치면 고무 신발 넣어 물고기를 떠올린다. 물고기가 죽지 않게 가둬두기 좋은 도구였다. 그러다 집에 갈 즈음이면 물속으로 놓아준다.

물놀이의 묘미는 뭐니 뭐니 해도 다슬기 잡기이다. 지금은 다슬기라 부른다는 것을 알지만 금주와 홍희는 다슬기라는 이름은 모르고, 고동이라 불렀다. 물속에 잠긴 큰 돌덩이를 뒤집으면 까맣게 고동들이 붙어있다. 쓸어 담는다는 표현이 맞을 정도로 두 손 가득 쓸어 모아 대야에 담아야 할 정도였다. 돌에 붙었던 고동을 다 담으면 이제는 그 돌이 있던 물속 바닥을 들여다보면 역시나 모래 쌓여있듯 무더기로 고동이 있다. 이 돌 저 돌 뒤집어 가며 줍다 보면 어느새 한 대야 가득하다. 둘이 들고 갈 수 있을 정도로만 잡았다. 아직도 냇가 바닥에는 쌓여있는 것이 고동이니까 더 욕심내지도 않는다.

고동을 잡아서 집에 오면 홍희는 고동을 금주네 다 주고 온다. 이상하게도 홍희네 가족은 그 누구도 고동을 먹지 않는다. 신기하게도 금주네는 고동을 삶아서 신발가게 마루에 놓고 있으면 오다가다 금주 가족들이 다 먹는다. 홍희는 늘 고동 잡기에만 열중하고 금주네 다 주고 온다. 먹지 않으니 가져갈 것도 없고 욕심내지도 않는다. 여름 내내 금주와 홍희는 늘 고동을 잡아 온다. 날이 서늘해 더 이상 물에 들어가지 않게 될 때까지 고동 잡기는 계속한다.

가을이 되어 차가운 물속에 들어가지 못해도 냇가에 가서 논다. 소꿉놀이하기에 햇살도 좋고 여러 열매가 있다. 이름도 알지 못하는 열매가 매달려 있다. 먹을 수 있는 것은 조금씩 맛본다. 겨울이 되어 냇가의 물이 얼면 돌을 던져 얼음 깨기 놀이를 한다. 구멍을 낼 때까지 돌을 던져본다. 얼음 밑으로 흐르는 물에 손을 넣어 보면 얼음만큼 차지 않고 따뜻하게 느껴진다. 다시 봄이 되어 얼음이 녹아나고 물이 졸졸 흐르는 가운데 어느새 살얼음 곁에 버들강아지 피어오르는 것을 본다.

다시 봄이면 쑥 뜯고, 여름이면 고동 잡는다. 그렇게 초등학교 시절을 함께 보낸 금주와 홍희는 중학교, 고등학교를 다니면서 냇가에 더는 가지 않게 되었고 지나다니며 바라만 본다. 고등학교를 졸업하면서 금주와 홍희는 마을을 떠난다. 홍희는 서울로, 금주는 부산으로 갔다.

금주와 홍희가 60세가 된다. 태어나서 스무 살까지 함께 지내다 그 이후 그들은 한두 번 만났고 이제는 만나기 쉽지 않은 거리에 산다. 전화로 목소리만 듣는다. 고동을 함께 잡았던 그 시절이 현실인가 싶다. 꿈같이 흐른 날이 어릴 적 잡은 고동 숫자만큼이나 많다.

# 귤 한 봉지

신혼 초에 살았던 집은 시장 입구에서 5분도 걸리지 않는 주택가였다. 외출하고 들어올 때 버스 정류장에서 내리면 시장 입구이고 그 주변은 상가들이 많이 있었다. 상가 앞 인도에는 채소와 과일을 파는 노점상들이 줄지어 있다.

저녁이 되어 집에 가려고 버스에서 내려서 몇 걸음 걸으면 나를 끌어당기는 과일이 있었다. 소복이 쌓여있는 귤 더미였다. 반찬거리 채소를 사서 반찬 할 생각은 없이 귤 파는 분에게 향한다.

"귤 얼마예요?"

"열 개 천원이요"

"주세요"

한 봉지 샀다. 천 원의 가격을 요즘과 비교한다면 당시 버스 요금이 90원인가 100원 하던 때이다.

나는 직장을 다니지 않았지만, 중학생에게 영어를 가르치는 과외를 하고 있었다. 남편의 월급은 전액 저축으로 들어가야만 하는 상황이었다. 안 쓰고 아끼고 저축하는 생활이어야 했다. 그래서 과일을 살 때 속으로 '과일도 사 먹지 말고 밥 세 끼 먹고 저축해야 하는 거 아닌가?' 하는 생각을 하게 된다. 그런데 도저히 과일을 사지 않고 지나치지 못하겠다. 평소에 과일을 좋아해서 철마다 나오는 과일을 제때 사 먹는 맛이 있기에 '밥은 굶어도 과일은 그래도 사 먹어야지' 하면서 샀다.

집에 도착해서 먼저 귤을 하나 까먹었다. 남편이 퇴근해서 오기 전에 밥을 준비해야 하니 부랴부랴 밥하기 시작한다. 그러면서 귤 하나 집어먹는다. 전기밥솥에 밥을  앉히고 국과 반찬을 준비한다. 남편이 오면 밥을 같이 먹어야 하니 기다렸다. 그리고 다시 귤을 먹었다. 남편 몫으로 5개를 따로 담아 놓았다. 나는 먼저 먹었으니 식후에 먹으라고 줄 요량이었다. 어차피 내 몫은 지금 먹으나 나중 먹으나 마찬가지이니 지금 먹자면서 마저 다 먹었다. 남편이 오려면 시간이 더 있어야 했다. 책을 읽으면서 눈길은 남편 몫으로 남겨 놓은 귤로 쏠린다. '하나 먹고 4개 줘야겠다' '아니 3개' '딱 하나만 더 먹고 주자' '2개 주느니 다 먹는 게 좋겠다.' 어느 과자 광고 노래처럼 손이 멈추질 않고 입에서 받아들이고 있었다. 결국, 남편이 오기 전에 귤을 다 먹게 되었다.

얼마 후 남편이 돌아오자 밥을 차리면서 미안한 마음으로 무겁게 입을 뗐다.

"자기야, 실은 집에 들어오면서 귤을 10개 사 왔는데 먹다 보니 자기 줄 것도 없이 다 먹었어. 자기도 귤 좋아하는데 다 먹어서 미안해. 내일 다시 사 올게."

"미안하긴, 우리 아기가 먹고 싶어서 먹은 건데. 나는 안 먹어도 괜찮아"

"어? 임신해서 입덧인가? 나는 배고프고 과일을 좋아하니까 먹는 거로 생각했는데."

임신했어도 임신 초기라서 입덧이 크게 나타나지 않아서 생각하지도 못했다. 귤 10개를 바로 다 먹을 거라고는 상상도 하지 못했다. 그런 일이 일어나기 전까진.

다음날도 외출해서 들어오면서 천 원어치 한 봉지 샀다. 남편도 들어오는 길에 한 봉지 사 왔다. 매일 귤 한 봉지 사서 들어왔다. 그해 겨울이 지나 귤이 더 이상 길에서 판매되지 않을 때까지 매일 귤 한 봉지였다. 귤 한 봉지에 행복 한 봉지가 덤으로 딸려 왔다.

## 눈물 나는 김밥

셋째 오빠가 중학교 3학년 때였다. 봄인지 가을인지 기억이 가물거린다. 당시 중학교 3학년이 되면 대형 관광버스를 타고 1박 2일 수학여행 가는 것이 관례였다. 기억하기로는 보통 아침 시간에 버스가 출발하는 거로 알고 있는데 오빠네 학년이 수학여행 갈 때는 점심 무렵인지 오후에 출발하는 것으로 들었다. 그래서 방앗간 일을 하던 엄마는 일을 마치고 저녁 시간에 시내로 장을 보러 갔다. 장보고 밤에 들어와서 다음날 오전에 챙겨 주려는 것이었다. 이것저것 수학여행에 필요한 김밥 재료와 맛있는 간식과 필요한 물품은 아무래도 시내에 있는 큰 시장에 가서 구색 맞춰 살 수 있어서였다. 막차를 놓친 엄마는 고종사촌 오빠네에서 하룻밤 잤다. 새벽에 첫차 타고 집에 와서도 충분히 오빠 수학여행용 김밥을 쌀 수 있다고 여겼다.

그런데 갑자기 수학여행 출발시간이 새벽으로 변경됐다고 엄마가 시내 장 보러 간 사이 연락이 왔다. 오빠는 새벽에 출발할 때 김밥을 가져가야 하는데 엄마가 없으니 어찌해야 할지 몰라서 발만 동동거렸다. 재료가 없기도 했거니와 재료가 있었더라도 늘 엄마가 김밥을 싸주어서 먹기만 했지

중학생인 오빠도, 열살인 나도 김밥을 만들줄 몰랐다. 요즘처럼 김밥집이 있어서 살 수 있는 것도 아니었고 엄마가 싸주는 김밥 도시락만이 수학여행 길에 먹는 식사였다. 마음이 급한 오빠는 동네 이웃 아주머니에게 사정 이야기를 하고 싸달라고 부탁을 하였다. 새벽에 아주머니가 와서 김밥을 준비하는 것을 보게 되었다. 내 눈에는 별 재료도 없이 밥에 단무지 하나 얹어서 아무렇게나 둘둘 말은 김밥이었다. '아니 저런 김밥을 어떻게 먹으라고. 자기 아들이면 저렇게 김밥을 쌌을까?' 맛도 없어 보이는 김밥을 가져가서 차 안에서 먹을 오빠를 생각하니 보는 내가 눈물이 났다. 가장 서러운 김밥이었다.

잘 챙겨 주려고 장에 간 엄마였는데 오히려 안 가느니만 못한 상황이 되었다. 엄마가 김밥을 싸면 계란지단, 단무지, 소시지, 당근, 시금치를 준비해 놓고 참기름에 깨소금을 넣고 비빈 밥을 김에 올리고 준비한 재료를 올려 예쁘게 말아 썰어 주었다. 그러고는 요즘과 다르게 종이가 아닌 나무 재질로 종이처럼 얇게 만든 네모진 곽에 넣어 주었다. 이것저것 맛있는 것 많이 챙겨 가야 할 수학여행 날 아침에 부실한 김밥과 엄마의 배웅 없이 갑작스럽게 출발하고 간 오빠가 어린 눈으로도 안쓰러웠다.

나만이 기억하는 오빠의 수학여행 날이다. 오빠에게 그날의 상황이 어땠는지 물어볼까 하다가 혹시라도 그때의 아픈 기억을 다시 되새길까 염려스러워 말을 꺼내지도 못하겠다. 오빠가 잊고 있고 그때의 기억이 가물가물해서 아무렇지도 않은 일로 남아 있을 수도 있다. 아니면 오빠도 말 못 한 가슴 아픈 기억일 수도 있고. 궁금은 하다. 오빠는 그날 어떤 심정으로 김밥을 먹었는지. 수학여행은 어땠는지…….

## 장날 동부 인절미

동부 콩으로 만든 인절미를 좋아한다. 요즘은 시중의 떡 파는 가게에서 찾아보기 어렵다. 동부 콩을 사서 방앗간에 맡겨 만들어 달라고 해야 먹을 수 있지 않을까 여겨진다.

며칠 전 떡국을 할 생각으로 시골의 시댁 동네 전통 시장 안 방앗간으로 남편과 함께 떡을 사러 갔다. 시장 안에는 몇몇 떡집이 보였다. 시장 초입 긴 판매대에 여러 떡을 늘어놓고 세 팩을 사면 할인해서 파는 떡집을 지나쳐 40여 년 동안 직접 만들어 파는 떡 방앗간으로 갔다. 주변에서 괜찮다고 하는 떡집이라고 해서 일부러 찾아갔다. 말만 들어보고 떡을 사러 가기는 처음이다. 판매대에 2kg씩 봉지에 담아 놓은 떡국용 떡을 하나 집어 들고는 다른 떡은 뭐 살지 이리저리 보는 참이었다.

남편이 1순위 좋아하는 가래떡이 있다. 말랑해 보여서 주저 없이 한 팩 집었다. 그러고는 내가 먹을 떡은 무엇을 고를지 고민이었다. 쑥개떡도 맛있어 보이고 기지 떡도 말랑해서 먹어보고 싶고, 쑥 오메기떡, 콩 인절미, 영양 떡, 개피떡 등 다 맛있어 보여서 무엇을 살지 한참을 망설이며 고르고 있다. 두 개 세 개 사면 한 번에 다 먹기 어려우니 인절미처럼 찹쌀로 만들었고 쑥개떡처럼 쑥이 들어간 쑥 오메기떡을 사야지 하면서 물었다.

“속 안에는 고물로 머가 들어가 있어요? 팥앙금인가요 아니면 하얀 고물인가요?”

“하얀 고물 들어있죠”

“요즘은 동부고물로 하는 건 없나요?”

“그거예요”

“어? 동부 콩이 귀해서 동부로 고물 하기 어려운데 동부고물로 하나요? 팥 거피 내서 하얀 고물로 만들어 넣은 건 아닌가요”

“그렇기도 하죠”

“동부 콩이랑 다른 건데요?”

“이게 그거예요”

속으로 ‘요즘 동부 콩으로 하기는 하나?’ 반신반의하면서 먹어보면 알겠지 하면서 떡국떡, 가래떡, 쑥 오메기떡 대금을 치르고 나왔다. 집으로 가는 차에 올라타자마자 신나서 오메기떡을 베어 물었다.

“뭐야! 역시 팥고물이네. 그 주인은 내가 동부 콩 맛과 팥고물 차이를 모를 거라 여겨서 그게 그거인 듯 얼버무리며 말했나 봐. 참나, 속일 사람을 속여야지. 어릴 때 오 일 장날 동부인절미만 기다려서 먹은 사람인데. 혹시 몰라 사 봤더니 역시나……."

오 일 장날이다. 학교가 끝나자 부랴부랴 집으로 향한다. 다른 때는 동네 애들과 놀며 집에 오는데 장날은 한눈팔지 않고 곧장 온다. 마치 기다리는 사람이라도 있는 듯이. 그렇다. 내가 오매불망 기다리는 떡장수 아주머니가 있다. 그 떡장수는 오 일 장날만 볼 수 있다. 떡 장수 아주머니는 우리 동네 제일 윗집에 산다. 장터길 넓은 마당이 있는 한쪽 편에서 좌판을 놓고 장날만 떡을 판다.

오 일 장날에만 떡을 손수 해서 팔기에 평소에는 맛보기 어렵다. 그 공터에는 장날만 파는 국밥 장사도 있다. 아주머니는 밥상 높이의 나무판을 앞에 놓고 앉아서 인절미를 만들어 놓고 팔고 있다. 나는 집으로 가지 않고 가방을 든 채 떡장수 아주머니 앞에 가서 쪼그리고 앉는다. 익히 아는지라 아주머니는 반갑게 맞이한다. 옆에서 한동안 앉아서 떡 만드는 것을 보고 있어도 '저리 가라' 소리 한마디 하지 않는다. 아주머니는 분주하다. 장을 보고 와서 출출한 사람들이 사 가거나 그 자리서 먹고 가는 사람들이 있어서 떡을 만들기가 무섭게 잘 팔리고 있다.

아주머니가 인절미 만드는 과정을 구경할 수 있었다. 아주머니 옆에는 돌절구로 찧어 놓은 찹쌀떡이 함지박에 가득 담겨 있다. 동부 콩을 거피 내서 솥에 찌고 절구에 빻아서 체에 걸러 뽀얗게 만들어진 고물을 판에 깔아 놓고 찹쌀떡 한 덩어리 떼어내어 올려놓는다. 그 위에 고물을 뿌려서 손으로 눌러 펼친다. 누르면서 부족한 고물을 훌훌 뿌린다. 상 크기만큼 펼쳐지면 접시 가장자리로 떡을 가른다. 길쭉한 한 가래를 이제는 한석봉 어머니 저리 가라 떡 썰기 시전을 한다. 동부 콩고물이 잘 입혀져 모양 잡힌 인절미가 나오는 시점이다. 썰기를 마친 아주머니는 끝에 남은 모양 없는 떡 꼬투리를 한옆에 모아둔다.

그리고 떡 썰기를 다 마치고 인절미를 가지런히 놓아두고 손님이 오면 접시에 담아 팔기 시작한다. 사 가는 사람이 있으면 봉지에 담아주기도 한다. 그렇게 분주하다 손님이 없을 때 한옆에 모아둔 인절미 꼬투리를 먹어보라고 내게 건넨다. 뭐 그 떡을 받아먹으려고 구경하고 있었던 건 아니었지만 그렇게 얻어먹는 떡이란 꿀 같은 떡 맛이다. 쑥스러움을 뒤로하고 얼른 먹는다. 아주머니가 떡을 더 이상 만들지 않고 손님을 기다리게 되면 나는 그제야 자리를 뜬다. 이제 엄마에게 달려간다.

집에 가서 엄마가 방앗간 일이 없이 한가하면 엄마 손을 잡고 무조건 끌어당긴다. 떡이 다 팔리기 전에 빨리 가야 할 마음이었다. 엄마는 무슨 일이냐고 묻지도 않고 끌려온다. 우리 집에서 두 집 건너 떡장수가 있는 공터이다. 엄마는 다 안다는 듯이 손 잡힌 채 떡장수 앞에 선다. 떡장수는 종이봉투에 떡을 담는다. 엄마가 돈을 내는지도 모른 채 떡이 담긴 봉투에서 인절미 하나 꺼내 먹는다.

엄마가 바쁜 상황이면 이리저리 쫓아다니면서 '엄마 50원만, 엄마 100원만' 하고 졸라댄다. 엄마는 왜냐고 묻지는 않고, 하던 일 마저 하느라 손이 놀 틈이 없다. 잠시 후 일 마무리를 마친 엄마는 돈을 건넨다. 나는 떡이 다 팔릴세라 잽싸게 떡장수에게 달려가서 돈을 내민다. 장날이면 치르는 행사이다. 그렇게 오 일마다 사 먹었던 동부 콩으로 만든 인절미는 오일장이 사라지면서 더 이상 사 먹을 수 없는 떡이 되었다. 장날의 추억과 그때의 인절미 맛에 대한 그리움만 가득하다.

# 시어머니 표 코다리찜

결혼해서 시댁에 가니 여러 가지 낯선 상황이 많았다. 특히 음식은 어머니마다 손맛이 다르기에 친정과 시댁의 음식이 다를 수밖에 없었다. 친정은 음식을 심심하게 짜지 않게 먹는 데 비하여 시댁에서의 첫맛은 내게 엄청나게 짜게 느껴졌다. '김치 한 조각으로 밥 한 공기는 먹겠다'라고 생각이 들었다.

친정엄마도 심심하게 만드는데 친정 언니는 엄마보다 더 욱더 심심하게 요리해서 먹는다. 그런 언니랑 살다가 결혼해서 살림하니 남편의 입맛에는 내 반찬이 심심하게 여겨졌을 일이다. 남편이 싱겁다고 하면 '짜게 먹으면 성인병에 걸리고 좋을 것이 없다. 앞으로는 더 싱겁게 먹어야 한다'고 하면서 주로 싱겁게 만들었다. 그러면 남편은 더 이상 말하지 않고 맛있다고 하면서 먹었다.

나는 시댁 음식이 입에 맞지 않았고 남편은 내가 만든 반찬이 입에 맞지 않았지만, 우리 둘은 별말 없이 내색하지 않으며 조금씩 양쪽의 입맛에 맞춰 가고 있었다. 각자 입맛에 맞으면 맛있게 먹고, 입맛에 맞지 않으면 조금 덜 먹으면 되었다. 입맛은 하루아침에 길들기 어렵다. 단번에 익숙해지지 않고 서서히 오랜 시간이 지나야 익숙해지는 것이 음식이라고 여기기 때문이다.

그렇게 조금씩 시댁 음식이 익숙해지는 어느 해, 시어머니가 코다리찜이란 걸 하였다.

"어? 이건 뭐죠?"

"코다리조림을 한 거다."

"이런 것도 해 먹어요? 친정에서 한 번도 해 먹은 적이 없는데요? 이 생선이 뭐예요?"

"명태 반 건조한 것이 코타리인데"

"저의 친정은 동탯국, 동태찌개, 북엇국 이런 거는 자주 해 먹어도 코다리찜 처음 먹어요. 엄청 맛있어요. 어떻게 하는지 알려주세요"

"간단하다."

수분이 적당히 빠져있어 살이 탱글탱글하고 양념이 간간하게 배어서 익혀진 코다리찜은 내 입맛을 사로잡았다. 간기가 없이 쪄서 고추냉이 간장을 찍어 먹을 수도 있었다.

그 뒤 재래시장 수산물 가게 가서 코다리 한 쾌를 손질해 달라고 해서 사 왔다. 시어머니한테 양념하는 법을 듣고는 나도 요리해서 먹으려고 한 것이다. 간장에 파, 마늘, 소금, 고춧가루, 참기름, 참깨 넣고 버무려서 타지 않게 물 한 컵 넣고 버무려서 냄비에 넣고 불에 올렸다. 처음에는 센 불로 해서 끓기 시작하면 불을 줄여 얼마간 더 조린 후 꺼냈다. 뚜껑 열자, 김이 확 오르면서 맛있는 냄새를 풍겼다. 남편과 함께 먹으면서

"어머니는 조미료를 조금 넣었을 거야. 나는 안 넣었으니 그 맛이 차이 있을 걸 감안하고 드시길."

"고추냉이 간장 찍어 먹으니 괜찮아. 맛있네. 엄마가 만든 거랑 별 차이 없어"

즐겨 자주 해 먹는 요리가 되었다.

한때 베트남 호찌민시에 산 적이 있다. 늦둥이로 태어난 딸의 친구 엄마들이 나보다 15살 어린 젊은 한국인이다. 서로의 집에 오가면서 같이 밥을 먹고 친하게 지냈다.

"언니 뭐해요?"

"코다리찜을 하는데, 와서 같이 밥 먹을래요?"

"어? 그건 뭐죠?"

"코다리로 한 거예요."

"그런 것도 해 먹어요? 한 번도 해먹은 적이 없는데요? 생선이 뭐예요?"

"명태 반 건조한 것이 코다리인데요"

"코다리찜 처음 먹어요. 와! 맛있어요. 어떻게 하는 거예요?"

"간단해요."

"언니는 뭐든 간단하다고 하는데 저는 어려워요!"

"저도 그랬어요. 시어머니가 맛있게 만들어서 처음 먹어보고 저도 따라서 해보니까 되더라고요. 제니 맘도 해보면 쉬워요."

"저는 언니가 만들어 주면 먹을래요."

"호호, 그래요. 내가 만들 때마다 먹자고 부를게요. 맛있게 먹어요."

시어머니 표 코다리찜으로 요리 고수가 되었다.

# 싸리버섯 요리

몹시도 부러운 장면을 찍은 사진이 핸드폰 앱에 올라왔다. 중학교 동창들의 소식을 알려주는 단체 모임 방이다. 시골에 있는 중학교에 다녔기에 그때 당시 여기저기 산골에 사는 동창이 많았다. 그 동창이 이제는 60세 은퇴를 맞이하여 고향에 산다. 고향을 떠나지 않고 사는 동창도 있었고 직장으로 고향을 떠났다가 다시 돌아온 동창도 있다. 그들이 모여서 이제는 어린 시절로 돌아간 듯 회포를 풀고 추억어린 맛의 향연을 뽐내고 있다.

그 동창들이 모여서 음식을 해 먹는 사진을 올렸다. 꿈에 그리던 싸리버섯 요리 사진이 보인다. 볶음인지 전골인지 구분하기 어렵지만 중요한 건 싸리버섯이다. 냇가에서 고기를 잡아 어죽을 쑤고 옆에는 갓 따온 싱싱하고 신선한 싸리버섯으로 만든 요리라니! 사진으로 보는데 입맛 당긴다. 40여 년 전에 엄마가 만들어 준 싸리버섯 음식을 먹어본 이후 어찌 된 일인지 싸리버섯 요리를 먹은 적이 없다. 도시에서 살다 보니 특별히 찾아서 요리하지도 않거니와 버섯요리를 좋아하지 않기 때문이다. 입에 전혀 대지도 않는 버섯요리였지만 유일하게 먹었던 기억으로 먹고 싶은 버섯이 싸리버섯이다.

우리 가족 모두가 버섯을 먹지 않는다. 체질인지, 엄마가 하지 않는 요리라서 입맛에 맞지 않아서 그런지 알 수는 없다. 어찌 된 일인지 된장찌개나 버섯전골 등 음식을 먹을 때 버섯은 손도 대지 않는다. 남들이 버섯이 몸에 좋다고 해도 일단 향도 구미가 안당기고 입에서 씹히는 식감도 좋아하지 않는다. 억지로 몇 개 건져 먹으면서 '맛없는 버섯을 왜 먹지?' 하는 생각뿐이다. 오죽하면 '맛없는 건강식품 먹느니 맛있는 불량식품 먹고 살 테다!' 하면서 입맛 맞는 음식을 주로 먹는다.

엄마가 싸리버섯을 사거나 얻는 방식은 독특하다. 방앗간을 하는 우리 집에는 멀리 산골에서 오는 손님이 많았다. 그 손님은 특히 장날이면 이것저것 농림산물을 챙겨 와서 장에서 팔고 그 돈으로 공산품을 사 갔다. 우리 방앗간에 들러 들깨. 참깨를 내려놓고 기름 짜달라고 맡겨놓고는 장보러 갔다. 그러면 그 손님이 나가기 전에 엄마는 팔 물건이 무엇인지 보여 달라고 한다. 엄마가 필요한 채소나 곡식이 있으면 엄마는 그 자리에서 가격을 흥정하고 그 손님이 기름 짤 비용을 제하고는 돈을 주거나 물건 팔고 와서 서로 비용 정산을 한다.

또 다른 경우도 있다. 보통은 산골에서 온 사람이 장에 가서 먼저 물건을 판다. 때로는 다 팔고 오는 때도 있지만 어떤 때는 다 팔지 못해서 물건을 되갖고 오기도 한다. 그러고는 엄마에게 사달라고 떼쓰다시피 요청한다. 엄마는 필요하지도 않는 것을 돈 주고 살 수 없으므로 안 산다고 한다. 산골 사람은 도로 가져갈 수도 없고 가져가 봐야 지천에 있는 작물인지라 어떻게든 처분하고 가려고 바쁜 엄마를 붙들고 늘어지면서 실랑이를 벌인다.

"사 주이소"

"우리는 당장 필요하지 않아서 사기 어렵소"

"그러면 돈은 안 받고 방앗간에서 나는 걸로 가져가게 해 주이소"

"뭐가 필요하오?"

"깻묵으로 주시오"

"그럼 그렇게 합시다."

장날이면 팔다 남은 야채, 과일 등을 처분하려고 산골 사람은 우리 집으로 왔다. 일일이 다 사들일 수 없으니 엄마는 방앗간 비용으로 대신 정산하거나 집에 해 놓은 물품으로 물물교환하였다. 주로 깻묵을 달래서 가져가는 사람이 많았고 어떤 사람은 엄마가 담가놓은 고추장을 달라고 하는 사람도 있었다. 엿이나 조청을 가져가는 사람도 있다. 덕분에 우리는 산골에서 나는 과일과 식물을 계절별로 먹을 수 있었다. 어떤 이는 팔다 남은 고염을 가져다 놓고 어떤 이는 곶감, 어떤 이는 싸리버섯을 놓고 가는 것이었다. 그렇게 해서 엄마는 산골에서 나는 작물을 때때로 받아서 반찬을 하였다.

어렴풋하게 기억나는 엄마의 싸리버섯요리이다. 냄비에 자글자글 끓어서 국물이 많지도 적지도 않게 적당히 있는 것으로 보아 찌개가 아니고 전골 같은 모양이었다. 과하지도 않은 양념으로 싸리버섯만 끓인 것으로 생각이 난다. 먹은 지 오래되었지만 엄마의 버섯요리가 내내 사진처럼 기억이 남아있는 이유는 무엇일까? 버섯을 좋아하지 않는 내가 싸리버섯 향만큼은 기억하고 먹고 싶다는 마음은 무엇일까?

인터넷에서 싸리버섯을 검색해 보니 얼마든지 구매할 수가 있다. 그런데 선뜻 구입하게 되지 않는다. 사서 요리를 한다고 해도 분명 엄마가 만든 맛이 나지 않을 것이라는 생각이 들었다. 싸리버섯을 먹고 싶은 것이 아니라 그때 그 시절 엄마의 손맛이 그리운 것이리라. 그리고 고이 간직했던 싸리버섯의 향긋한 추억이 조각 날까 봐 두려운 것일 수도.

# 배추전

처음 먹어보는 음식에 홀딱 반하다니. 이럴 수가! 별거 아닌 재료로 이런 맛이 날 수가 있는 건가? 이런 맛을 모르고 40년 넘게 살다니! 억울하네. 아니 왜 인제야 알려주는 건데요? 처음에 무슨 그런 음식을 해 먹냐고 말한 거 미안 미안. 맛보지 않고 말로 들었을 때는 먹지 않으려고 했는데 이런 맛이라니! 비주얼로만 보면 손도 안 댈 거 같은 게 왜 이렇게 맛있지? 자꾸 먹게 돼요. 이런 존재감이라니.

배추전을 처음 먹었을 때의 나의 반응이었다. 쉴 새 없이 말하는 맛 평가에 친구가 빙그레 웃으며 한마디 한다. 거봐요. 맛있죠?

친구는 김천이 고향이다. 천안이 고향인 나와 서로 30대 초반이었던 1996년에 만나서 지금까지 인연을 이어오고 있다. 사회에서 만나는 친구는 학교 동창과는 달라서 오래 인연을 유지하기 어렵다고들 한다. 그런데 이 친구와는 학교 때 만난 친구와는 결이 다르지만 사회에서 만났어도 학창 시절 친구처럼 오랜 세월 우정을 나누고 있다.

멀리 떨어져 살기에 자주 만나지 못해도 만나면 속내 가릴 것 없이 허심탄회하게 이야기 나누고 서로에게 특별히 잘하지도 무심하지도 않게 아주 편안한 마음으로 대하게 된다. 그 친구네로 일정 기간 놀러 간다고 해도 그 친구가 일이 있어 외출하면 나는 나대로 혼자 여기저기 돌아다니고 저녁에 만나 식사를 같이한다. 그 친구가 저녁에 약속이 있어 외출해야 하면 기탄없이 나를 두고 나가기도 한다.

반대로 그 친구가 내가 있는 곳으로 놀러 오면 우리 집에서 머물면서 각자 볼일도 보고 함께 시간을 보내기도 한다. 나한테 놀러 왔으니 맛있는 식당을 찾아 함께 가기는 하지만 특별히 잘해 주려고 부담감을 느끼지 않는다. 서로가 그런 마음을 잘 아는지라 소홀하지도, 부담 가지도 않게 지낸다.

한 번은 그 친구네 놀러 갔다. 마땅히 해먹을 게 없으니, 배추전을 한다고 한다. 에? 김치전은 해 먹어도 배추전은 하지 않는데요. 그런 것도 해 먹나요? 우리 경상도는 이거 잘해 먹어요. 경상도 음식이에요. 아. 그렇군요. 나는 충청도에서 배추전 해 먹는지 잘 모르겠지만 우리 집은 해 먹은 적이 없어요. 그래요. 내가 해줄 테니 먹어봐요. 먹어보지 못해서 그런지 이상할 것 같아요. 경상도 음식은 내 입맛에

안 맞더라고요. 예전에 고등학교 때 경주로 수학여행 가서 먹은 음식의 기억이 경상도 음식은 맛없다 였어요. 맞아요. 나도 울 엄마 김치랑 음식이 맛없어요. 서울 살다 보니 더 욱더 우리 엄마 김치가 맛없는 거 알겠더라고요. 홍희 씨네 김치 맛있어요. 우리 김치는 심심하게 젓갈 많이 안 넣고 만들어서 담백한 맛은 있죠. 양념 많이 하면 나중 설 지나 먹을 때는 별로여서 양념 많이 안 해요. 자, 배추전이 다 됐어요. 먹어봐요. 오? 생김새는 풀 죽은 애처럼 늘어져서 이상한데 맛있어요. 한 쪽 다 먹었어요. 여기 더 있어요. 많이 먹어요. 우와 이런 맛이라니. 경상도 음식 맛있네요. 호호. 호호.

친구가 하는 배추전은 아주 단순하다. 밀가루 걸쭉하게 반죽하여 낱장으로 뜯어낸 생배추에 반죽 옷을 입힌 후 기름 두른 팬에 전 부치듯이 부친다. 그리고 간장에 찍어 먹는 것이다. 이 단순한 음식이 기가 막히게 나의 입맛을 자극한다. 먹어도 먹어도 질리지 않게 계속 먹는다.

지금은 그 친구를 일 년에 한두 번 얼굴 볼까 말까 할 정도이다. 미국에 살고 있기에 그렇다. 그 친구가 한국을 방문하거나 내가 미국에 가야 만나게 된다. 그럼에도 그 친구는 언제나 가까이 있다. 배추전 먹을 때마다 곁에 있는 느낌이다. 배추전 하나에 함께 맛을 느끼고 기쁨을 나누었다. 기쁨을 나누는 그 맛에 음식이 더 맛있나 보다. 이 글을 쓰는 동안 배추전이 먹고 싶다. 글을 마치면 배추전을 해 먹어야겠다. 그 친구를 생각하며.

## 송편과 다식

-송편을 작고 예쁘게 만들어야 시집가서 예쁜 딸 낳는다. 왜 그렇게 크게 만드는 게야. 이것들아, 못생긴 딸 낳으려고 그러냐! 이리 내 다시 만들게.

-할머니! 나는 할머니처럼 작고 예쁜 종지 모양 안 돼요. 손가락으로 둥글리다 보면 밥그릇처럼 크게 만들어져요.

할머니의 손놀림을 연신 쳐다보고 따라 해도 내 것은 할머니처럼 예쁘게 안 되었다.

추석 전날이면 큰댁에 모두 모였다. 나를 포함한 8명의 손녀가 할머니 옆에서 송편을 만들었다. 입맛 까다롭고 솜씨 좋은 할머니는 음식을 예쁘고 맛있게 만들어야 직성이 풀리는 분이었다. 듣기로는 큰엄마가 시집오셔서 할머니 입맛 맞추느라 고생하셨다고 했다.

할머니가 만든 송편은 두레반에 줄지어 놓으면 크기가 밤톨만 하면서 똑 고른 자태로 앙증맞게 놓여 있었다. 그에 반해 어린 손녀인 우리 몇몇이 만든 것은 다 본인 주먹만 하게 만들어져 있었다. 그나마 스무 살 넘은 언니 몇몇이 만든 송편은 크기가 일정하면서 예뻤지만, 할머니가 만든 송편에 비하면 아직도 멀었다.

-할머니 이건 어때요?
-더 작게 해야 해.

모두 송편 하나 완성할 때마다 할머니께 검사받는다.
그나마 괜찮다고 말을 들은 언니는
-어때? 나 솜씨 좋지?
하고 뽐낸다.

나는 속으로 '아니 송편을 찌면 거기서 거긴데 좀 크게 만들면 안 되나?' 하고 불퉁한 마음으로 만들고 있다. 그러면서 어떻게 하면 할머니처럼 작고 예쁘게 만드나 고심하면서 송편 반죽과 씨름하고 있다. 작은 간장 종지처럼 안되면 다시 뭉쳐서 손바닥에 놓고 동글동글 만들었다. 몇 번 그리하다 속 고물 넣고 오므려서 조개 입처럼 서로 맞물리게 꼭꼭 눌러 준다. 대충 그럴싸하게 만들어진다.

쌀 한 말이나 두 말 정도 송편 만들려면 아침부터 시작해도 저녁 무렵 끝난다. 아침부터 앉아서 송편 만들고 점심 먹고 앉아서 다시 만든다. 송편이 마를까 염려해서 젖은 면 보자기로 덮어 놓았다가 한 솥 거리 되면 큰엄마는 송편을 쪄냈다.

그리고 맛보라고 한 접시 내온다.
'아, 할머니 송편은 작고 예쁜데 내가 만든 건 확 표시 난다.' 울퉁불퉁 주먹 크기만 하다. 차례상에 올릴 건 할머니가 만든 송편이고 어린 손녀가 만든 못생긴 송편은 시식용이다.

송편 하나마다 할머니의 잔소리를 받던 고사리손이 어느덧 해가 지나면서 야무진 손으로 되어 갔다. 주먹만 한 송편을 밤톨만 한 송편으로 만들 수 있게 되었다. 그래도 할머니만큼 모두 똑 고르게 만들려면 멀었다.

송편 만들기 끝나면 다식 만들 차례이다. 송편 만드는 사이 큰엄마는 다식 반죽을 다 해놓았다. 쌀. 콩가루. 검은깨. 때로는 송홧가루 등 다식 재료가 4~5종류였다. 대추 알만큼 떼어내어 둥글둥글 둥글려서 다식판 안에 넣고 꼭꼭 눌러 준 다음 다식판을 들어 떼어내면 동그란 다식이 만들어진다. 서넛이 둘러앉아 만들고 있다. 역시나 할머니가 감독관이다.

-재료를 잘 눌러야 부서지지 않게 나온다. 꼭꼭 눌러라.

떼어내려다 부서진 것은 얼른 주워 먹는다. 무엇이든지 만들 때가 제일 맛있다. 먹고 싶어도 차례 지낸 후 먹어야 한다는 할머니 법칙으로 인해 차례 전에 먹어보기 힘들었다. 차례 지낸 후에는 음식과 먹거리가 많아도 손이 가지 않는다. 그나마 송화다식은 양이 많지 않고 귀하고 맛도 있어서 차례 후 1순위 간식이었다.

할머니 덕에 그 할머니 손녀 모두는 어디 가서 솜씨 없다 소리는 듣지 않고 있다. 모이면 할머니 잔소리에 귀 딱지 앉았다고 하지만 다 할머니가 그리워서 하는 말이란 걸 안다. 오손도손 할머니와 만들었던 송편과 다식은 더 이상 찾을 수 없는 맛이지만 추억 한 입 먹고 있다.

# 엄마와 마늘 농사

우리 집은 시골에 살면서 농사지을 한 평의 땅은 없었다. 방앗간을 운영하면서 생활하였다. 엄마는 고된 방앗간 일을 하면서도 남의 땅을 빌려서 틈틈이 농사 일하였다. 농작물은 쌀이 아니라 주로 콩. 마늘. 파. 배추 등 일상적으로 먹을 채소였다.

무슨 농작물 파동이 많았던지. 한 해는 배추 파동이라 해서 엄마는 여름에 배추 겉절이 대신 양배추김치를 했다. 어느 해는 마늘 파동이라 해서 엄마는 급기야 그해 남의 밭을 빌려서 마늘 심기로 하였다.

어릴 때라 정확히 몇 월인지 기억은 나지 않는다. 아마 가을 추수가 끝난 빈 들판이었으므로 10월 말이나 11월 초였으리라. 엄마는 방앗간 일을 마치고 틈틈이 마늘을 쪼개 놓았다. 낮에는 바빴던지 해가 넘어가기 직전에 마늘 종자가 들어있는 자루를 들고 초등생 나를 데리고 밭으로 향했다. 집에서 걸어서 20여 분 거리 들녘이었다.

엄마는 호미로 고랑을 만들고 나보고 마늘 종자를 줄지어

놓으라고 일렀다. 엄마는 마늘 놓는 것을 시범을 보이고 고랑 만드는 일을 계속했다. 쪼그리고 앉아서 엄마가 하라는 대로 하기를 얼마나 하였던가. 날은 어두워지고 바람은 쌀쌀하게 불어와 덜덜 떨게 되었다. 그만하고 집에 갔으면 좋겠는데 엄마는 고랑 만들기 여념이 없다. 손길이 분주했으리라. 빨리 고랑 만들고 남은 마늘 종자 다 심어놓고 가야 했으니.

춥고 힘들었지만, 엄마에게 집에 가자고 한마디 채근도 하지 않고 묵묵히 마늘 종자를 놓았다. 오히려 하루 종일 바깥일 하고 저녁에는 남의 밭을 빌려서라도 마늘 심는 엄마가 애처로워 보였다. 이 저녁에 엄마 혼자서 일했더라면 엄마가 얼마나 힘들었을까 생각하면서 나라도 함께 일해서 다행이라고 생각했다.

해가 완전히 넘어가서 어둑해지고 사물이 분간되지 않을 때까지 했다. 시커먼 흙 위에 놓인 마늘 종자가 허옇게 보이다가 거의 보이지 않게 사방이 어둡다. 그제야 엄마는 흙을 털고 일어서며 호미 챙기고 집에 가자고 하였다. 어두워서 밭둑 길이 보이지 않아 무서웠다. 엄마 뒤따라 조심스레 걸으니 신작로 길이 나온다. 조용히 안도의 숨을 내쉬며 별이 하나둘 얼굴 내미는 하늘을 이고 집으로 왔다. 그날 마늘 종자를 다 심었는지 기억도 없다. 춥고 무섭고 어두웠던 밭고랑만 기억에 남았다. 그리고 힘든 엄마의 뒷모습만 보였다.

그 뒤 마늘종이 나오는 때 엄마랑 같이 바늘 들고 마늘밭을 향해 갔다. 한낮의 햇살이 따사로웠다. 엄마는 바늘로 마늘종 따는 방법을 알려줬다. 마늘 대에 바늘로 쏙 찌르고 하나씩 잡아당기는 것이 재미있었다. 지루한 줄 모르고 마늘종을 땄다. 늘 하는 농사일이 아닌지라 힘든 줄 모르고 했다. 이렇게 마늘종을 따는 것에 더 신기하게 여기며 일했다. 거둬들인 마늘종은 엄마가 고추장에 박아 두었다가 꺼내서 파, 마늘, 참기름 참깨 넣어 무쳤다. 밥반찬으로 먹기도 하고 나의 도시락 반찬이 되었다.

이어 마늘 수확 시기가 되었을 무렵 역시나 엄마와 나는 마늘 캐러 갔다. 멀리 떨어진 곳에서 어떻게 집으로 가져왔는지는 가물가물하다. 집에 가져와서 엄마가 짚 새끼줄로 엮으면 한쪽에 차곡차곡 놓았고 처마 밑에 걸 때 들어 올려줬다. 말리면서 엄마는 필요할 때마다 하나씩 뽑아 음식을 만드는 데 사용했다.

그렇게 한 해 마늘 농사 후 엄마는 마늘 농사를 더는 하지 않았다. 마늘 파동이 불러온 엄마와 나의 처음이자 마지막 마늘 농사였다. 한 번 했던 마늘 농사일이었지만 나에게 농사일에 대한 밑천이 생긴 값진 경험이었다.

# 국수

방앗간에 사는 좋았던 점은 늘 먹거리가 풍부하였다는 것이다. 그런데 그 이점이 괴로운 일로 된 것이 두 가지 있었다. 하나는 가래떡. 하나는 국수이다. 가래떡 사연은 이 책의 <가래떡 인연>에 썼다.

국수는 우리 가족에게 고단한 노동의 상징이다.

밀 농사를 하는 시골에서 밀 수확이 끝나고 밀가루를 쟁여 놓는다. 수제비와 부침개. 칼국수 등 밀가루 요리를 해 먹는다. 한편으로는 손쉽게 해먹을 방법으로 국수를 방앗간에서 만들어 와서 쟁여 놓는다. 집에서 만든 칼국수와 기계서 나온 가는 국수와는 다르니까 기계국수를 하러 오는 사람이 많다. 멸칫 국물 우려내서 삶은 국수 말아 먹는 잔치국수는 역시 기계로 뽑은 소면이 제격이다.

우리 방앗간 역시 한때 몇 년 동안 국수를 만들었다. 소면이랑 칼국수용 납작 면 두 종류를 만들었다.

밀을 수확하면 그때부터 우리 집은 국수 만들러 오는 사람들로 북새통이다. 학교 갔다 오면 사람들이 점심으로 국수를 삶는다고 주인 없는 부엌에 들어가서 국수를 삶는다. 한쪽에선 건져내고 헹구고 한쪽에선 또 삶고, 또 삶고 두세 번 삶아내야 손님들이 다 먹을 수 있다. 삶아낸 국수를 고추장이나 간장 참기름 넣고 비벼서 다들 선 채로 후루룩하고 먹는다. 때로는 납작 면을 넣어 칼국수처럼 끓이기도 했다. 엄마와 오빠, 국수 기술자 장 씨 아저씨는 연신 기계에서 국수를 뽑아내고 널어 말리고 있다. 국수든 밥이든 먹을 겨를이 없다. 장 씨 아저씨 먼저 식사하라고 차려주고 (그것도 손님이 상을 차린다) 끝나면 오빠가 먹고 이어 엄마는 먹는 둥 마는 둥 하고 일한다. 손님이 스스로 점심을 준비해서 먹고 설거지까지 해 놓는다.

국수 철에는 매일 점심이 국수이다. 손님이야 1년에 한 번 오는 것이지만 엄마, 오빠는 매일 국수를 만들고 국수를 먹게 된다. 때로는 밥을 먹을 때도 있지만 자주 국수로 끼니를 때운다. 손쉽게 빠르게 먹을 수 있으므로.

그러니 남들은 없어 못 먹는 국수를 질려서 쳐다보기 싫은 사람이 우리 가족이다. 국수 기계를 처분할 때까지 7~8년 동안 국수 만들면서 얼마나 질리게 먹었을까? 처분한 지 50년이 지났는데 여전히 언니와 오빠를 만나면 국수는 입에 대지도 않는다.

나는 국수 만들 때 돕는 일이 무척 하기 싫었다. 초등 2, 3학년 때 학교에서 돌아오면 마당에 국수를 걸어 말리고 있다. 그러면 국수 밑으로 들어가서 쪼그려 앉아 떨어진 국수 가닥을 집는 일이었다. 엉덩이를 살짝 들 정도로 일어나면 국수가 머리에 닿아 부서지거나 떨어지므로 앉아서 오리걸음 하면서 걸어야 했다. 여기저기 떨어진 국수를 흙 묻지 않게 잘 집어서 그릇에 담는 것이다. 더운 여름날 해야 하니 땀나고 귀찮은 일이었다. 집안일 돕는 것을 마다치 않는 내가 몹시도 하기 싫은 일이었다. 그래도 싫다고, 하지 않는다고 한마디 안 하고 국수 다 주울 때까지 해냈다.

가내 수공업으로 국수 만들기는 가족 모두에게 힘든 일이었다. 한여름 땀 뻘뻘 흘리며 밀가루 반죽에서 국수 뽑아내고 막대기에 걸어 내다 말리고 마른 후에는 잘라서 종이로 소포장해서 상자에 담았다. 밀가루 한 포대당 얼마나 받는지 모르지만 일에 비해서 돈이 되지 않았던 것 같다. 대량생산으로 밀려오는 공장 제품 소면에 밀리고 밀 농사가 점점 줄어 국수 제조는 사양 산업이 되기 시작했다. 오빠와 언니가 직장 찾아 집 떠나고 혼자 남은 엄마는 국수 제조 기계를 처분했다.

그래서 그나마 엄마에게 방앗간 일이 수월해졌다. 한여름은 특별히 할 게 없는 때가 되었다. 수입이 줄어들어 더 힘겨웠을지 모르겠다. 엄마의 속내를 들어본 적이 없다.

가족에게 국수는 힘들었던 일이 생각나서 쳐다보고 싶지 않은 음식이겠거니 생각이 든다. 국수의 맛보다도 국수로 인한 고된 노동이 먼저 생각이 들 것이므로 국수를 먹고 싶겠나. 나 역시 국수하면 국수 줍던 더운 여름이 먼저 떠오른다. 그래서인지 먹긴 먹어도 국수는 입맛 당기는 음식이 아니다.

# 급 식 빵

나는 자칭 '빵순이'다. 그만큼 빵을 좋아한다는 것을 주변인에게 얘기하려고 붙이는 별명이다. 그렇다고 모든 빵 종류를 다 좋아하지는 않는다. 가장 애용하는 빵은 식빵이다. 아니면 모닝롤, 크루아상같이 담백한 빵을 잘 먹는다. 팥빵, 크림빵, 케이크처럼 단맛이 가미된 빵류는 어쩌다 먹는다.

일요일 아침 느긋하게 일어나 식빵 한 조각 구워 버터 바르거나 혹은 바르지 않은 채 바싹한 식빵 한 조각을 베어 물고 커피 한 모금 마시면 더 이상 바랄 것 없는 충족감을 느낀다. 크루아상 한 개와 아이스커피 한 잔의 조합이 가져다주는 아침 식사의 즐거움이 크다. 다른 사람이 빠뜨리지 않고 쟁여 놓는 라면처럼 나의 냉동실에는 항상 빵이 놓여 있다. 언제든지 한 조각 꺼내 한 끼 음식으로 먹을 수 있게 해 놓는다. 밥 준비 귀찮아서가 아니라, 간편하게 먹을 수 있어서라기보다 단순히 빵이 좋아서이다.

언제 최초로 빵 맛을 알게 되었는지는 잘 모르겠지만 어릴 때 빵 한 덩어리 더 받지 못해 크게 속상해서 두고두고 지금까지 잊히지 않는 일이 있다. 그때의 한(?)이 맺혀 빵을 더 좋아하는 건 아닌가 생각도 해본다.

1971년에 초등학교 입학했다. 당시의 학교에서 급식 빵을 나누어 줬다. 식빵같이 덩어리진 빵을 어른 주먹만 한 크기로 잘라서 학생에게 나누어 주었다. 한 반 학생 수는 70여 명인데 배당된 빵의 양은 대략 15~20개 정도였다. 양이 많지 않아서 순번을 정해서 나누어 주었다. 그러니 일주일에 한 번이나 두 번 정도 내 차례가 되어서 받을 수 있었다. 그때 나누어주는 빵은 밀가루 반죽 된 덩어리째 일렬로 놓고 구워진 식빵이었다. 조각으로 자르기 전의 지금의 식빵과 같으나 빵의 질감은 요즘 맛보는 식빵보다는 다소 거칠고 딱딱한 촉감이었다. 바게트보다 약간 부드러우면서 모습은 식빵 덩어리, 크기는 어른 손바닥 크기 정도였다.

매일 받아서 먹고 싶을 정도로 맛있었다. 요즘은 베이커리가 우후죽순 있고 아무 때나 빵을 사 먹을 수 있지만 시골 그 어디서 사 먹을 수 있는 빵이 아니었다. 그런 빵이 있다는 사실조차 모를 때였다. 우리 앞집이 잡화점이라 삼립식품이나 서울식품에서 나오는 봉지에 담긴 단팥빵을 사 먹을 수 있었다. 크라운산도 과자도 있었다. 하지만 학교 급식 빵 같은 것은 없었다. 오매불망 급식 빵을 받을 수 있는 내 차례만 기다렸다.

어느 날 담임선생님이 말했다.

-오늘 받아쓰기 100점 맞은 사람은 상으로 빵을 나눠주겠다.

야호! 속으로 쾌재를 부르면서 신나고 들떴다. 매일 받아쓰기를 하면서 나는 거의 매일 100점 맞고 어쩌다 하나 틀리고 있었다. 100점 맞을 자신이 있었다. 어서 빨리 받아쓰기 시험을 봤으면 하고 기다렸다. 더구나 그날은 내가 급식빵을 받을 차례이고 100점 맞으면 빵이 하나 더해서 두 개를 먹을 수 있었다. 하나로는 양에 차지 않아서 더 먹었으면 좋겠다고 생각하는데 드디어 한 번에 두 개를 받을 수 있겠다고 야심 찬 기대를 하였다.

드디어 시험 시간이었다. 선생님은 단어나 문장을 부른다. 우리는 받아썼다. 20문제이니 한 개 5점씩 채점한다. 다 받아쓰고 채점한 결과 하나 틀렸다. 으아앙, 빵이 날아갔다. '하필 오늘 틀리는 건데? 빵이 상품으로 걸린 날 틀리다니! 선생님은 왜 하필 오늘 빵을 상품으로 주는 건데.' 원망과 아쉬움과 야속함 등 여러 감정이 섞여서 어쩔 줄 몰랐다. 수업이 끝나고 가방 챙기고 종례를 하면서 선생님은 빵을 나누어 줬다. 내 차례가 왔으니 하나 받아 들고 남은 빵을 노려보았다. 두세 개 남기고 선생님은 오늘의 받아쓰기 100점 맞은 학생을 불러서 빵을 주었다. 한 명인가 두 명이었다. 옆줄에 앉은 영심이는 자신이 빵 받을 차례 아닌데 100점 받아서 빵을 받아 좋다고 희희낙락하고 있었다.

아! 저 빵. 지금 내 손에 들고 있는 빵이 아니라, 100점으로 받을 수 있는 저 빵이 부러웠다. 양손에 쥘 수 있는 빵을 한 손에만 들고 있어서 속상했다. 빵도 못 받고 100점도 못 받고 이래저래 울고 싶은 심정이었다. 영심이는 집에 가려고 운동장에 나와서까지 좋아서 의기양양 자랑이었다. 그날의 내 빵 맛이 어땠는지……. 아마도 평소의 다르게 쓰디쓴 맛으로 먹지 않았을까? 받지 못한 그 빵에 대한 한(?)을 품지 않았을까 생각이 든다. 그날의 빵을 그리워하는 마음으로 빵을 좋아하게 되었나? 요즘도 동창회 가면 영심이는 그 빵 이야기를 한다. 저 혼자 100점 맞아서 빵을 받았다고 뿌듯한 감회에 젖는다. 영심이나 나나 서로 잊지 못할 추억의 급식빵이다.

## 미역국

-뭐? 생선으로 미역국을 끓인 거라고? 이걸 어떻게 먹지? 윽! 비린내 나서 나는 못 먹겠다.

1989년 6월 제주로 신혼여행 갔다. 택시 기사가 가이드 역할을 했다. 기사가 맛있는 집이라고 소개해서 간 식당에서 처음 맛보는 옥돔 미역국이다. 제주의 풍경은 생경했다. 육지와 다른 절경이라 감탄하고 넋 놓고 바라보았다. 음식은 생소했다. 충청도 시골에서 해산물과 거리가 멀게 자란 나로서는 옥돔, 성게는 처음 먹는 해산물이었다.  갈치와 고등어만 흔하게 먹어서 맛이 익숙하다. 더군다나 구이도 아니고 옥돔으로 미역국을 끓이다니, 성게국이라니. 제주의 음식을 전혀 몰랐던 나로서는 기절초풍할 일이었다.

친정엄마는 미역국을 소고기나 참기름으로만 끓였다. 양지머리를 푹 삶아서 국물 낸 다음 그 고깃국물에 불린 미역을 넣고 끓이고 고기는 잘게 찢어 넣었다. 아니면 다른 소고기 부위가 있을 때는 고기를 잘게 썰고 불린 미역과 같이 참기름 한 방울 넣고 냄비에 넣고 달달 볶다가 어느 정도 고기 겉이 익었을 정도로 되면 물 한 바가지 넣고 오래 푹 끓였다. 소고기가 없을 때는 불린 미역에 참기름 두세 방울 넣고 뽀얀 물이 나올 때까지 볶다가 물을 넣고 끓였다. 참기름 넣고 끓이면 고소한 향내와 미역의 비린내를 제거해 주기에 우리 가족이 즐겨 먹는 방식이다. 이런 미역국만 먹었으니 옥돔 생선을 넣고 끓인 미역국이 입에 맞을 리가 없었다.

신혼여행 후 언니에게 이야기했더니

-나도 깜짝 놀랐잖아. 신혼 초에 울 시어머니가 생선 한 마리 가져와서 미역국 끓이라고 해서 생선으로 웬 미역국을 끓이냐고 말했다가 혼났어. 제주는 생선으로 끓인다고 하더라.

형부의 고향이 제주였다.

그 후 시어머니 첫 생신이라 가족이 모였다. 나는 이런저런 음식을 준비하고 양지머리로 미역국을 끓였다. 시어머니는 국을 멀리 치우고 드시지 않았다.

-어머니 미역국 왜 안 드세요?

-나는 고기 미역국 안 먹는다.

_에? 그러면 미역국을 안 드세요?

-맨 미역국만 먹는다.

-그러면 참기름만 넣고 끓일 걸 그랬나 봐요.

-참기름 넣고 끓인 것도 안 먹는다. 아무것도 안 넣고 간장만 넣어 끓여야 먹는다.

-아무것도 안 넣고 미역으로만 끓여요? 국물 맛이 이상하지 않아요? 그럼 그렇게 끓이라고 말씀하시지요. 저는 당연히 소고기 미역국으로 끓였네요.

-가족들은 소고기 미역국 먹어야지. 나 먹자고 맨 미역국 끓일 순 없지.

-그래도 어머니 생신날은 어머니를 위한 거니 맨 미역국 끓여야죠.

국 없이 아침 식사를 마친 시어머니는 오후 점심에 맨 미역국을 손수 끓였다. 불린 미역만 물에 넣고 펄펄 끓이다가 재래간장으로 간만 맞추는 것이었다. 그 맛이 어떤지 궁금해서 나는 한 숟가락 맛보다가 삼키지 못하고 뱉게 되었다. 미역 비린내가 훅 나서 먹을 수가 없었다.

-윽, 저는 미역 비린내가 나서 못 먹겠어요.

-그 맛으로 먹는 거지

친정엄마가 고기가 없으면 참기름을 넣어 끓이는 이유를 알겠다. 미역 비린내가 나니까 참기름으로라도 넣어 끓였던 것이다. 나는 친정엄마 닮아서 바다 비린내 나는 음식을 잘 먹지 않았다. 시어머니는 낙지, 오징어, 문어, 조개, 전복, 미역, 다시마, 멸치 등 해산물을 좋아한다. 시어머니 첫 생신 이후 35년 동안 미역국을 각각 끓였다. 시어머니는 맨 미역국 먹고 다른 가족은 고기 미역국 먹는다. 자녀의 식성은 엄마의 맛에 익숙한 것이리라. 시누이는 맨 미역국을 잘 먹는다. 나는 여전히 맨 미역국을 먹지 못한다.

## 선생님이 해 준 카레라이스

인복이 많은 건가? 부족한 점이 많은 내게 주변의 사람들이 보여준 따뜻한 인정과 우정이 나를 지금까지 괜찮은 사람인 양 여기며 살게 해주었다. 아니다. 내가 괜찮은 사람이 아니라 그들이 좋은 사람이었다. 사람이 사람을 어루만져 온전히 세상 살도록 해주는 일이 어디 쉬운 일인가. 그리 가슴 벅찬 행운을 누린 행복한 사람이 여기 있다.

1977년 3월 초 중학교 입학식. 쌀쌀한 봄기운을 느끼며 생소한 교복을 입고 어색한 마음을 억누르면서 두려움 반 설렘 반을 가지고 중학교 교문을 들어섰다. 6년 동안 같이 초등학교에 다녔던 동창뿐만 아니라 다른 3개 초등학교 졸업생도 오는 중학교인지라 낯선 학생을 마주하는 일에 긴장되었다.

입학식 다음 날, 전교생이 운동장에 모인 아침 조회시간에 새로 부임한 선생님 소개가 있었다. 영어 선생님. 167, 8cm 정도 큰 키에 생머리가 허리까지 내려오고 이목구비가 크고 뚜렷해서 한눈에 띌 정도로 매력 있어 보였다. 무릎 닿지 않은 짧은 스커트 정장 차림에 무릎까지 오는 롱부츠를 신은 모습은 여태껏 시골 마을에서 보지 못한 세련미 넘치는 멋진 모습이었다. 영어 선생님의 첫인상이었다.

영어 선생님은 서울에 있는 여자대학을 2월에 졸업하자마자 3월 초 바로 시골에 있는 우리 동네 중학교에서 교사로서 첫발을 내디뎠다. 학년별 영어 선생님이 있었는데 새로 온 선생님은 신입생인 우리 1학년 5개 반을 가르치게 되었고 1학년 3반 담임이 되었다. 그해에 입학한 학생에게 행운의 시작이었고 나에게 45년 인연의 시작이었다. 입학 전 미리 알파벳을 외워오라는 숙제를 하면서 처음 접하는 영어 과목은 영어 선생님으로 인해 더욱더 흥미를 느끼게 되었다. 어렸지만 알 수 있었다. 영어 선생님의 열성과 관심이 얼마만큼인지. 영어 선생님은 공부를 잘하든 못하든 1학년 전체 학생의 이름을 외우고 불러주고 자상한 관심을 기울였다.

영어 선생님을 수업 시간 외에는 접할 일이 없어서, 나는 모르는 단어와 문제를 가지고 쉬는 시간에 물어보는 열의를 보였다. 영어 선생님의 관심을 받기 위해서였다. 초등학교 6년 동안 선생님과 동네 사람들의 칭찬에 늘 쑥스럽고 어찌할 줄 몰라서 숨고 싶었던 나로서는 용기 내어 한 행동이었다. 낭랑한 목소리로 상냥하게 가르치는 선생님은 닮고 싶은 선망의 대상이 되었다. 선생님을 바라보기만 해도 좋은데 배울 수 있어서 더 좋았다. 영어로 말이 통하고 영어로 이야기를 읽는 것이 신기했다. 한글과 다른 외국어의 묘미에 빠졌다. 매번 영어 시간을 기대감에 부풀어 기다렸다. 그렇게 1학년을 보냈다.

2학년 첫날 담임이 결정되었을 때 날 듯이 기뻤다. 영어 선생님이 담임이 되었기 때문이다. 1학년 말 종합 성적이 305명 중 2등. 우리 반 1등인 나에게 선생님은 애정 어린 관심을 가졌다. 며칠 뒤에 선생님이 나를 불렀다. 선생님이 이제는 학교 부근 마을에 방을 얻어서 자취하니 저녁에 집으로 놀러 오라고 했다. 우리 집에서 걸어서 10분도 걸리지 않는 가까운 윗마을이었다.

학교 갔다 와서 사복으로 갈아입고 긴장과 설레는 마음으로 선생님 집에 갔다. 선생님의 여동생이 서울에서 내려와 있었다. 선생님은 동생과 함께 카레라이스를 만들고 있었다. 내가 도착했을 때 거의 완성되어서 상 차려 먹기만 하면 되는 상황이었다. 선생님은 동생에게 나를 반 학생이라 소개하고는 셋이 둥근 상에 둘러앉았다. 초등 6학년 때 가사 실습으로 해먹었던 카레라이스였다. 일 년에 한번 먹을까 말까. 아니 먹은 적이 있었나 하는 요리였다. 엄마가 집에서 한 번도 한 적이 없는 요리였다. 깍두기와 같이 먹는 카레라이스는 독특한 카레향을 풍기면서 입맛을 자극했다.

맛은 있지만 먹기는 조심스럽다. 선생님 앞이기도 했고 선생님한테 밥을 얻어먹는 일이 어디 흔히 있는 일인가. 어렵기도 하고 무언가 죄송하기도 하고 마음이 살살 간지럽게 좋기도 한 그런 마음으로 맛있게 먹었다. 선생님과 가까워지는 마음이 느껴져서 더 좋았다.

그 후로도 선생님은 자주 나를 불러서 저녁을 같이 먹고 이런저런 얘기 나누며 시간을 보냈다. 선생님 자라온 과정이 담긴 사진 앨범을 보여주며 얘기해 주고 가끔은 중학생이긴 하지만 커피 설탕 크림을 넣은 달달한 커피도 타서 같이 마시자고 내밀었다.

나는 14살에 만난 선생님의 믿음과 인정으로 세상 그 무엇도 부족하지 않게 여기고, 자부심과 자존감이 가득 차서 온 세상 품은 듯한 마음으로 중학교 3년뿐만 아니라 지금까지 행복하게 지냈다. 내가 이럴만한 가치가 있나 할 만큼 과분하게. 나를 토닥이고 아껴주는 사람은 늘 내 곁에 있었다. 담임선생님이 만들어준 따뜻한 카레라이스 한 그릇은 사랑이 듬뿍 담긴 인생 최고의 맛이었다.

# 커피 한 잔 프러포즈

'스치면 인연 스며들면 사랑'

어느 건물 1층 음식점 입구에 붙여진 글귀이다. 이렇게 멋진 글귀를 누가 만들었을까? 알게 모르게 길들이는 누군가의 손맛을 사랑이라고 은유 시처럼 노래처럼 읊은 건가, 아니면 사람과의 만남을 말하는 건가. 아! 후자라면 그와 나도 그랬는데. 글귀를 볼 때마다 아련한 추억을 떠올리고 미소 짓게 된다. 20대 초반 그때는 바보처럼 사람을 볼 줄도 모르고 마음을 들여다볼 줄도 몰랐다. 세월이 몇 년 흐른 다음에야 비로소 사랑인 줄 알게 되었다. 나도 모르게 사랑이 다가왔다. 어깨에 살포시 내린 눈이 녹아 스며들 듯이.

1983년 대학에 입학하여 과 행사에 빠짐없이 참여하는 터라 늘 82학번 선배인 그와 함께 교내 활동하는 것이 많았다. 다른 선배들도 함께였지만 특별한 일이 없었는데도 그와 나는 자주 같이 있게 되었다. 봄 햇살 좋은 학교 내 잔디밭에서, 시원한 물줄기를 뿜어내는 분수 가에서, 시험기간 도서관에서, 당시 유행하던 디제이가 있는 음악다방에서. 둘이 또는 다른 선배나 같은 학번 동기들과 함께 1년 내내 어울리며 격의 없이 지냈다. 태어난 고향은 다르지만, 같은 지역에 있는 고교를 다녀서인지, 비슷한 생활환경을 가진 농촌 출신이어서 그런지 대화하면 서로 잘 통한다는 느낌이 나는 선배였다. 타 대학 학생과 했던 미팅도 두 번 미팅을 해보니 시간만 낭비하는 듯했다. 있는 그대로 나를 보여준다고 하더라도 잘 모르는 사람과 만날 때마다 나를 설명하는 그것이 별 의미 없어 보였다. 시시껄렁한 잡담을 하더라도 과 동기와 선배들과 시간 보내는 것이 편했다

2학년이 되어서도 그와는 여전히 친한 선후배로 지내고 있었다. 그와 함께 학내 제반 문제 해결에 적극적으로 동참했다. 학내 부적절한 행사를 폐지하고 학교 당국의 입김대로 움직이는 어용 학생회를 없애고 학생 자치회인 총학생회 부활을 모색하는 바람이 일기 시작했다. 학생의 찬반 의견을 수렴하는 토론회가 자주 열렸다. 그는 어떤 때는 토론의 진행을 맡았다.

그런 후 방학이라 학내 활동과 과 모임 활동이 멈추고 잠시 소식이 서로 뜸하였다. 핸드폰이 없던 시절이라 급한 일 없이는 개학 후에나 만났다. 여름방학이 끝날 무렵 그가 밤 10시 넘어 전화했다.

-선배 무슨 일이에요? 이 밤에 전화하고?

-내일 아침 의정부 훈련소 들어간다. 가기 전에 너한테 말하려고.

-에!!! 무슨 입대를 예고도 없이 그렇게 가요? 내일 아침에 가는 걸 왜 이제 말해요? 송별회도 못 하고. 아니 언제 통지서가 나왔기에?

-갑자기 나왔어. 지난번 교내 행사 폐지 토론회 진행해서 그런 것 같아.

-말도 안 돼. 너무한 것 아니에요. 어쨌든 몸 건강하게 잘 지내다 와요.

-편지 열심히 써줘.

-선배 애인이 열심히 보낼 텐데요.

-시국 상황, 교내 일, 선후배 일은 네가 알려줘.

-네. 알았어요.

전화를 끊고 어휴 하고 절로 한숨이 나왔다. 이게 먼일인가. 다른 선배나 동기처럼 송별회도 못 하고 쓸쓸하게 입영하다니. 훈련 기간이 끝나고 나서 그의 자대 배치는 비무장지대 안 GP[1)]라고 했다. 가족 누구도 면회 못 가고 그가

---

1) Guard Post(감시초소)의 약어. GP는 남북 군사분계선(38° 선)과 남방한계선(GOP) 사이에 있다.

휴가 나와야만 만날 수 있다고 전했다.

군 복무하는 그에게 학교에서 발행되는 학보와 함께 간간이 소식을 전하며 지냈다. 졸업 후의 진로를 결정하지도 못한 채 나는 4학년이 되었다. 2학기 접어들어 일신의 문제로 졸업 한 학기 남기고 휴학하게 되었다. 여기저기 연락이 두절된 채로 지냈다. 해를 넘겨 4월이 끝나가는 어느 날 복학 준비하러 학교에 갔다. 그사이 여자 동기생들은 졸업해서 다 떠나고 남자 동기생들은 거의 입대한 상황이라 누구 하나 얼굴 아는 동기생은 없었다. 그나마 81학번 낯익은 남자 선배들이 제대해서 복학하였고 휴학 전 가까이 지냈던 후배들이 있어서 그나마 교정이 쓸쓸하지 않게 여겨졌다.

도서관에 자리를 잡고 그동안 손 놓았던 전공과목을 붙들고 씨름하고 있었다.

-옆에 앉아도 될까요?

고개 들어보니 그가 선한 미소를 머금고 서 있었다.

-어? 선배 언제 제대했어요?

-며칠 전에. 시골에 있다가 복학하려고 오늘 처음 학교에 왔어.

-나도 며칠 전에 왔어요. 와! 반가워요. 커피 마시러 가요.

1년 반 만에 만났어도 어제까지 만난 사이처럼 편안하게 그동안의 회포를 풀었다. 2학기 복학 때까지는 시간이 많은지라 도서관에서 매일 공부하고 점심 같이 먹고 쉬는 시간 커피 마시고 밤늦게까지 공부하다 오는 것이 복학 전 그와 나의 일과였다. 누가 소개팅 자리를 주선했는지 그는 가끔 소개팅하고 왔다. 소개팅 나온 사람이 어떤지 설명도 했다. 남의 나라 얘기인 듯 넘겼다. '여자친구 사귀고 싶은가 보네'라고 생각하며.

8월 늦여름이 한창 기승을 부린 더운 날, 그의 이종사촌 누나가 우리 대학 근처에 있는 타 대학교 부근에 카페를 차렸으니 가보자 했다. 시원한 아이스커피를 마시기 위해 길을 나섰다. 골목길을 지나 카페에 도착하기 아직 먼 지점에서 갑자기 소나기가 한차례 쏟아져 내렸다. 예상 못 한 소낙비에 옷이 전부 젖은 채로 카페에 뛰어 들어가 커피를 시키고 앉았다. 젖은 채로 불편한 자세로 앉아 있는데 난데없이 그가 폭탄 고백을 했다. '평생을 책임지고 살 테니 우리 사귀자'라고 했다. 내가 휴학을 한 후 연락이 안 돼서 힘들었다고. 아끼는 후배를 위해서 아무것도 할 수 없는 자신이 한심해서 견딜 수가 없었다고. 그때의 심정으로 나를 사랑하고 평생을 같이하겠다고 했다. 순간 눈길이 어디를 향해야 할지 당황스러웠다. 그를 이성으로 사귀는 건 꿈에도 생각하지 않았다. 고백을 어떻게 받아들여야 할지 생각할 시간이 필요했다. 고백을 받아들이는 거라면 일주일 후에 있을 그의 고교 동문회 모임에 커플로 참석하러 나오라고 했다.

일주일의 고민 끝에 그가 내민 손을 잡으러 나갔다. 대학 신입생 때부터 겪어 본 그였다. 나를 있는 그대로 온전히 받아들일 사람이 세상에 또 존재할까? 친구처럼 편안한 마음으로 지낼 수 있는 상대를 다시 만나기가 쉽지 않다는 걸 뒤늦게 깨달았다. 거북이처럼 느릿느릿 기어가며 아직도 사랑이 가까이 있는 줄 모르고 모래밭에서 헤매는 눈치 없는 여자를 그는 사랑이 넘치는 바다로 조금씩 조금씩 이끌었다. 날개를 활짝 펼쳐 그의 사랑 속에서 마음껏 헤엄치라며. 다가서는 것도 겁냈고 다가오는 사람도 겁낸 나는 그가 오랜 세월 가지고 내민 사랑 속으로 천천히 느리게 기어갔다.

## 포도 농사

올해 2024년은 남편과 함께 포도 농사 시작한 지 4년 차가 된다. 2024년 1월 말에 남편이 정년퇴직하면서 시댁이 있는 안성으로 내려갔다. 이전의 계획은 시댁 가까이 살면서 아버님과 포도 과수원 농사지을 생각이었다.

그러나 사람의 일은 아무도 모른다고 시아버지가 위에 난 혹을 몇 개 제거한 후 두 달 지난 뒤 소화가 안 되어서 시술했던 서울대학병원에 검진하러 갔다. 가서 기다리다가 갑자기 의식을 잃고 쓰러졌다. 중환자실에 36시간 동안 집중 치료받던 중 세상을 떠났다. 4년 전인 2020년 가을 그 해 첫 포도 수확을 해야 하는 날이었다. 장례를 치른 후 마음을 추스를 시간도 없이 가족 모두는 포도를 따서 배달하고 판매해야 해서 눈코 뜰 새 없이 분주했다. 농협에 출하하지 않고 지인 주문으로 판매 완료했다. 해마다 주문하는 단골이 있어 가능했다. 그렇게 포도 추수가 끝난 이후 포도 농사는 남편과 나의 몫으로 남았다, 아버님은 포도밭을 장남 몫으로 남겨 놓았다.

퇴직 후 시작하려 했던 포도 농사를 그렇게 앞당겨서 하게 될 줄 몰랐다. 불행 중 다행히도 시아버지 쓰러지기 전까지 남편과 나는 포도 일 시작하는 3월부터 주말마다 가서 포도 농사일을 도왔다. 코로나로 인해 남편이 다니는 회사가 경영이 어려워지자, 직원 대부분이 한 달 중 열흘 근무하고 나머지는 무급휴가를 써야 하는 상황이었다. 전화위복이라고 해야 하나. 남편은 무급휴가 동안 시아버지와 포도 농사일을 할 시간을 가질 수 있었다.

고등학생 딸이 있어서 시간 내기 어려울 거라 여겼는데 집에서 원격수업을 하니 나도 같이 남편과 시댁 가서 일할 수 있었다. 3월부터 9월 수확하기 전까지 모든 과정을 어설프게나마 배웠다. 아버님은 남편이 어렸을 때뿐만 아니라 성인이 되어 회사 생활 30년 하는 동안 농사일은 네 일이 아니라며 일을 전혀 시키지 않았다. 그러던 아버님이 돌아가시기 전, 한 두해 동안은 큰 아들인 남편에게 이모저모 포도일 가르치는데 골몰했다.

남편은 회사에 다니며 포도 농사를 병행했다. 인천 송도에서 월, 화 이틀 회사에 다니고 수요일 안성으로 내려가서 일하다 토요일 밤에 올라와서 일요일 쉬었다. 시어머니와 형제자매는 적극적으로 도움을 주었다. 시어머니는 장남이, 시누이는 큰오빠가 일에 서투른 게 다 안타까운 듯이 너도

나도 시간 나는 대로 와서 거들어 주었다. 시아버지가 살아 있을 때는 옆에서 이렇게 저렇게 하라고 얘기하는 대로 해서 수월했는데 막상 아버지 없이 혼자 할 때는 어떻게 해야 할지 난감할 때가 많았다.

그래서 이웃 마을에 사는 시누이의 시아버지도 포도 농장을 하는지라 그분까지도 와서 월동 준비할 때 포도나무를 어떻게 다루어야 하는지 아낌없는 조언을 해주었다. 언제 어떻게 영양분을 주는지, 내년에 열매 매달릴 가지는 어떻게 남기고 다른 가지들을 잘라내는지 세세히 알려주고 갔다. 사돈도 며느리의 큰오빠가 갑작스레 포도 농사 일 하는 것이 염려스러웠나 보다. 농사 1년 차의 월동 준비는 모든 이들의 애정 어린 도움으로 잘 마무리되었다.

포도 농사를 해 보니 아이 낳아 기르는 것과 같은 마음이었다. 봄이 되어 싹이 나올 무렵 되면 싹이 잘 나오려나 걱정하게 되고, 싹이 나오면 잘 자라서 송이 매달리려나 하게 되고, 송이가 알알이 맺히면 포도알이 해충 없이 잘 크려나 걱정하고, 포도알이 크기 시작하면 잘 익으려나 염려한다. 잎사귀 하나 잘못 건드려 찢어지면 '미안해 미안해, 무럭무럭 잘 자라거라' 말하게 된다.

마침내 포도알이 초록색에서 자색으로 여물면 맛을 보고 그제야 안심하고 10년 혹은  20년 단골 지인에게 연락한다. 맛없으면 지인들에게 연락하기도 겁난다. 할 수도 없다. 사과나 배는 따서 두어야 숙성이 되어서 달곰해진다. 그러나 포도는 나무에서 완전히 익어서 따야 달곰하고 맛나다. 나무에서 익어 따는 포도는 싱싱하고 맛이 좋아 인기가 좋다. 어떤 사람은 1년 한번 연락 없다가 포도 딸 무렵이면 우리가 연락하기도 전에 먼저 포도 나왔냐고 연락이 온다.

우리는 포도 품종이 주로 거봉이다. 최근 몇 년 사이 샤인 머스캣 포도가 인기가 많고 가격도 농부의 처지에서 수익이 높으므로 그 나무로 바꾸고 있다. 2~3년 전 심은 샤인 머스캣 나무에서 올해 수확이 많을 거라 예상한다. 거봉 280여 그루 중 3분의 2를 순차적으로 샤인 머스캣으로 바꿀 계획이다. 샤인 머스캣 포도를 기다리는 지인들이 벌써 줄지어 있다.

포도 농사일을 해보니 몸은 고되나 마음이 안온하다. 시댁 바로 앞에 포도 과수원이 있다. 그 곳에 살면서 일하면 아침저녁 서늘할 때 느긋하게 일할 수 있다. 농사일이 고단하지만 순을 따고 필요 없는 잎을 따주는 일을 하고 있다가 보면 세상 잡음 생각나지 않는다. 포도가 잘 크기만을 바라는 마음으로 열중하고 있는 나를 발견한다.

어려서 친정이 방앗간을 할 때 기계 소리 때문에 소리 질러 큰 소리로 말해야 하고 기계 돌아가는 동안 재빨리 일해야 하는 긴장감이 늘 있었다. 포도 일할 때는 그렇지 않아서 평안하다. 뻐꾸기 소리 외에 이름 모를 산 새소리 가득 들리는 고요함 속에 똑, 똑, 순 꺾는 소리만이 적막함을 가로지른다.

남편과도 말없이 조용히 일하다 간간이 어제오늘 아들과 딸이 어떤 심정이었는지 무슨 일이 있었는지 주고받는다. 많은 말을 하지 않아도 농사의 고단함을 서로 나누고 포도를 키우면서 느끼는 정서의 교감을 이루고 있는 그 시간이 충만하다. 이런 것이 농사의 매력이라고 여겨진다. 시부모님이 힘들어도 놓지 못하고 농사일을 계속하였듯이 남편과 나 역시도 그 매력에 빠져 헤어 나오지 못하리라 여겨진다.

# 쑥개떡

나의 아들은 쑥개떡을 엄청나게 좋아한다. 5살 무렵, 앉은 자리에서 어른 손바닥만 한 쑥개떡을 5~6개를 먹어서 모두가 놀랐다. 특히 쑥개떡을 만든 시고모가 어찌 그리 떡을 잘 먹느냐고 감탄하였다. 30년이 지나도 그 광경이 머릿속에서 사라지지 않는지 봄이 되어 쑥개떡을 만들 때면 꼭 이야기 나온다.

그런데 어찌 된 일인지 내 손으로 아들에게 쑥개떡을 해준 적이 없다. 봄이 되어 여기저기 쑥이 나오기 시작하면 너도나도 쑥개떡을 한다. 시어머니, 친정어머니, 심지어 친구까지 쑥개떡을 했다고 연락이 온다. 먹으러, 가지러 오라고 전화한다. 내가 쑥으로 만든 떡을 좋아하는 것을 친정, 시댁, 친구까지 모두 알고 있다. 지방에 살고 있는 그들은 쑥 캐러 나서기 수월하고 쑥이 지천에 있어서 쉽게 구한다. 하지만 도시에 살고 있는 나는 시댁에 가지 않으면 쑥개떡을 하기가 어려웠다.

봄이 되면 쑥개떡 타령한다. 어려서는 엄마가 만들었다. 그러고 보면 엄마도 쑥개떡을 좋아했는가 보다. 콩을 넣고 만드는 밀가루 빵은 엄마가 살아생전 한 번도 한 적이 없는데 쑥개떡은 누가 말하지 않아도 매년 만들었다. 동네 애들이 밀가루 빵을 들고나와서 먹으면 그게 그리도 먹고 싶었다. 달라는 소리도 못 하고 먹어보라고 주는 아이도 없었다. 그런 엄마가 쑥개떡을 만든다는 것은 엄마도 좋아했으니 그렇게 만들었고 덩달아 엄마가 만든 쑥개떡을 나도 좋아하며 맘껏 먹었다.

그래서 그런지 결혼해서 사는데 엄마는 봄이면 쑥개떡 반죽을 해서 가져왔다. 우리 집에서는 동글납작하게 만들어서 찜 솥에 찌기만 하면 되었다. 매년 엄마는 해달라는 말이 없어도 먼저 떡 거리를 준비해서 왔다. 그러니 엄마 살아계실 때까지는 쑥개떡을 매년 먹을 수 있었다.

시어머니 또한 쑥개떡 가루를 만들어 커다란 봉지에 넣어 냉동실에 대여섯 개 쟁여 놓고 있다. 딸이든 아들이든 누구든지 오면 만들어 주고 또 가져가라고 할 요량이었다. 내가 우리 아들 데리고 시골 가면 우선 만들어 쪄서 주었다. 손자가 잘 먹으니 기쁜 마음으로 하였다. 나도 어머니가 만든 쑥개떡을 먹는다. 그리고 남는 생 가루가 있으면 가져왔다.

나이 60이 될 때까지 엄마의 손길이 닿은 쑥개떡을 먹었다. 나는 엄마의 솜씨로 기억하는 쑥개떡을 기억하고 그 맛을 추억하면서 먹는데 우리 아들은 누구의 손맛을 기억하고 먹게 될까. 어려서부터 먹은 쑥개떡 기억이 거의 양가 할머니 손에서 만들어진 것이니 추억의 손맛은 할머니가 아닐런지.

엄마는 세상을 떠나셨고 시어머니는 거동이 불편하여 더 이상 쑥개떡을 할 수가 없다. 이 봄날 시골 들판에 나가서 어린 쑥을 캐서 쑥버무리를 하고, 조금 더 큰 쑥은 삶아서 아들 좋아하는 쑥개떡을 해야겠다. 아들이 누구의 손맛을 그리워할지가 중요한 것이 아니다. 지금, 이 순간 아들이 좋아하는 쑥개떡을 먹게 해줄 수 있는 것이 이 엄마뿐이므로 아들에게 봄기운 가득 채워 줘야겠다.

## 영원히 녹지 않는 아이스크림

-홍희야! 일어나 봐. 빨리 이거 먹어

-으으응, 졸려

-오빠가 이거 사 왔는데 녹으니까 빨리 먹어야 해!

초등 3학년 여름? 늦여름? 정확한 계절을 가늠하기 어렵다. 학교 갔다 와서 피곤해서 늘어지게 낮잠을 자고 있었다. 고등학생인 둘째 오빠는 시내까지 버스 통학했다. 학교 갔다 와서 곤히 낮잠 자는 나를 다급히 깨우고 있었다. 떠지지 않는 눈을 비비며 부스스 일어나서 보니 오빠는 교복도 벗지 않고 다급하게 아이스바 봉지를 벗기고선 먹으라고 재촉했다. 받아먹으려고 보니 거의 다 녹아있다. 녹은 아이스크림을 물처럼 마시고 막대기에 달린 한 덩어리 먹으니 끝났다.

-너 주려고 오빠가 사서 가져왔는데, 다 녹았네. 새로 나온 거라 너도 먹어보라고 사 온 거야

-으으응

-흘리지 않게 잘 먹어. 물만 있네.

잠결에 말없이 먹으면서 마음속으로는 여러 생각이 들었다. 학교 끝나고 집에 오는 길이라 본인만 사 먹고 집에 와도 되는데 힘들게 사 왔네. 누가 뭐라고 할 사람이 없는데…… 막내 여동생을 생각하고 녹을 걸 뻔히 아는데도 사서 가져와 준 오빠가 어린 내 눈에 고마웠다. 30여 분 버스 타고 오면서 녹을까 봐 애가 탔을 심정이 느껴졌다. 나를 챙겨 주는 오빠가 뭐라 말할 수 없이 좋았다.

아이스크림이 달달하고 맛있는 것이 오빠의 따뜻한 배려로 인해 더욱더 달콤하게 느끼게 되었다. 비록 다 녹아서 물만 있는 아이스크림이었어도 지금까지 먹은 세상 그 무엇보다도 가장 맛있었던 아이스크림이라고 여기고 있다. 다른 아이스크림 맛은 먹고 나면 끝이고 더 이상 기억이 없다. 언제 먹었는지조차도 기억 못 한다. 육십 평생, 그날의 잊히지 않는 아이스크림, 이것만큼 강력한 아이스크림이 어디 있는가. 영원히 녹지 않는 아이스크림이다.

누군가로부터 아낌없이 배려 받는다는 것은 세상 살아가는 것이 힘들더라도 살아갈 힘을 갖게 했다. 아니 전혀 힘들지 않게 만드는 숨은 명약이다. 나는 그런 명약을 늘 먹고 살았다.